小説
弱虫ペダル
よわむし
5
原作
渡辺航
ノベライズ
輔老心
岩崎書店

弱虫ペダル⑤ 目次

第一章　初(はつ)レースのスタート……7
第二章　スプリンター決戦(けっせん)……65
第三章　山が見えた……155

登場人物

今泉俊輔

自転車競技に命をかける、毎日ストイックに走り続ける高校一年生。中学時代は県内でも有名なレーサーだった。坂道の走りに関心を持っている。

小野田坂道

ママチャリで往復九十キロの秋葉原への道のりを毎週欠かさず通う高校一年生。自転車に自分の可能性があるなら、と千葉県一強い自転車競技部に入部する。

鳴子章吉

自転車と友だちを大事にする関西出身のレーサー。浪速のスピードマンの異名を持つ高校一年生。坂道のよきアドバイザーでもある。

総北高校自転車競技部 三年生

主将・金城

田所

巻島

箱根学園自転車部

主将・福富

真波山岳

箱根の山道で坂道と出会う。箱根学園の一年生。笑顔で坂を登るほど坂が好き。

泉田塔一郎

京都伏見高等学校

御堂筋 翔

前回までのあらすじ

夏――。

自転車大好き高校生のあこがれのまと、インターハイがはじまる。

千葉県代表の総北高校自転車競技部では、なんと一年生でレース初心者の小野田坂道がレギュラーに選ばれた。きんちょうする坂道は同じ一年生で友だちになった今泉俊輔や鳴子章吉、そして、時にきびしく、時にやさしい上級生たちに引っぱられて、なんとかスタートの日をむかえる。

三年生にとっては引退レースとなる最後のたたかいだ。総北高校主将の金城真護は、〝去年〟のインターハイで走行中にころばされた箱根学園の福富寿一に「今年は負けないぞ」とライバル意識をもやしていた。

坂道はそのことをくわしくは知らない――。

はじまる前に

この巻では、インターハイのレースがはじまる。

ここでの自転車の高校日本一を決めるインターハイの流れは、

・三日間かけて行われる。

・毎日、朝スタートして、夕方前にゴールする。

・一日目は、江ノ島から百二十台がいっせいにスタート。

・つぎの日からは、前日のタイム差の順に、秒数をあけてスタート。

・とちゅうでこけて、けがをして走れなくなったら、リタイアになる。

・三日目の最後のゴールでトップだった選手が総合優勝。

・一日目の最初は、各チームのスプリンターが「力くらべ」をするのが通例。

これらを頭のかたすみにおいておけば、インターハイがよりたのしめるよ。

本書は、秋田書店刊の『弱虫ペダル』をもとに小説化したものです。文章化するにあたり、台詞など一部改めています。

第一章

初（はつ）レースのスタート

インターハイ前夜

「かあさん……」
坂道はいつ話そうか、と思っていたインターハイのことを母親に切り出した。
「なあに」
坂道の母親はアイロンをかけていた手をとめて、坂道の顔を見た。

まどの外では、カナカナカナカナカナとひぐらしがせつなげに、ゲコゲコゲコゲコとカエルがのんきにないている。

「ボク……あしたから、み、三日間……、試合(しあい)で、家にいないからね!!」

「え？　最近のアニメのクラブは試合まであるのかい」と母親は聞いた。

ん？　アニメのクラブ……だって？　かんちがいしている。

坂道はあわてて説明をした。

「じ……自転車だよ。この間も説明しただろ。今は……自転車の部に入っているんだって」

「あ、ああ、そういえばこの間も三、四日いなくて、ヘトヘトになって帰ってきて……たしかそのとき、なんか合宿届とかいうのにハンコをおしたわね」

「そ、それだよ」

「自転車に乗ることはけんこうにもいいって、この間テレビでもやっていたけど、サイクリングに試合なんてあるの？　たのしそうねえ」

母親は坂道のやっていることを全然わかってない。

「だからーーー自転車競技部なんだよ。えーと、ロードレーサーという、とくべつな自転車で、えーと競争というか……」

「な？　なにロー？　それってアニメの話？」

「ちがうよ！」

もう、トンチンカンだなあと坂道はうずうずしてきた。

「それで、どこまで行くの？」

「え……箱根」

「たのしそうだねェ…おみやげ、買ってきておくれよ」


箱根という地名を聞いて、なにかたのしい思い出がよみがえったのかもしれない。

母親はまた、アイロンがけをはじめながら、こう聞いた。

「こないだ写真を見せてくれた、あんたのお友だち、赤い髪の子と細い目の子もいっしょに行くのかい？」

「うん!!」と力強くうなずいた。

「それは安心だね」

「うん」

坂道は母親が鳴子くんと今泉くんのことをおぼえていてくれたこと、そして、二人のことを「あんたのお友だち」と言ったことがうれしかった。

坂道のむねにじゅわーとあたたかいものがひろがった。

インターハイ開幕

神奈川県藤沢市、江ノ島――。

三日間におよぶ、インターハイ、正式名称「全国高等学校総合体育大会 自転車ロードレース」のスタート地点だ。

この相模湾の小さな島、江ノ島はふだん、観光地としてにぎわっている。

千葉県代表 総北高校のバスが到着した。ドアがあき、坂道が最初におりてきた。

「わーーー、すごい人ですね。自転車もすごいね!! おまつり? これは夏まつりですかーーーーー!!!」

坂道はものめずらしくて、キョロキョロしはじめた。

色とりどりののぼりがスタート地点に立ち、アイスクリームやかき氷の屋台が出ている。

予選を勝ちぬいた選手たちが全国から集まり、自転車の数もすごい、見物人もたくさんいる。

「あーーーー、あっちにステージまであるよ。あーー、あの人、強そう!!　選手は百二十人、勝てるかな、ボクがーーーーーー」

「おいっ、聞いとるか。小野田くん、おーい、少しは落ち着きや。バスの中まではふつう、やったんやけどな」

はしゃぎまくる坂道にうしろから鳴子章吉がさけんだ。赤い髪が強い日差しのせいでギラギラしている。

「しょうがないショ。はじめてなんショ。こういうほんかくてきなレースは」

つぎにバスからおりてきた巻島裕介が言った。長い髪が潮風にぶわんとなびいた。

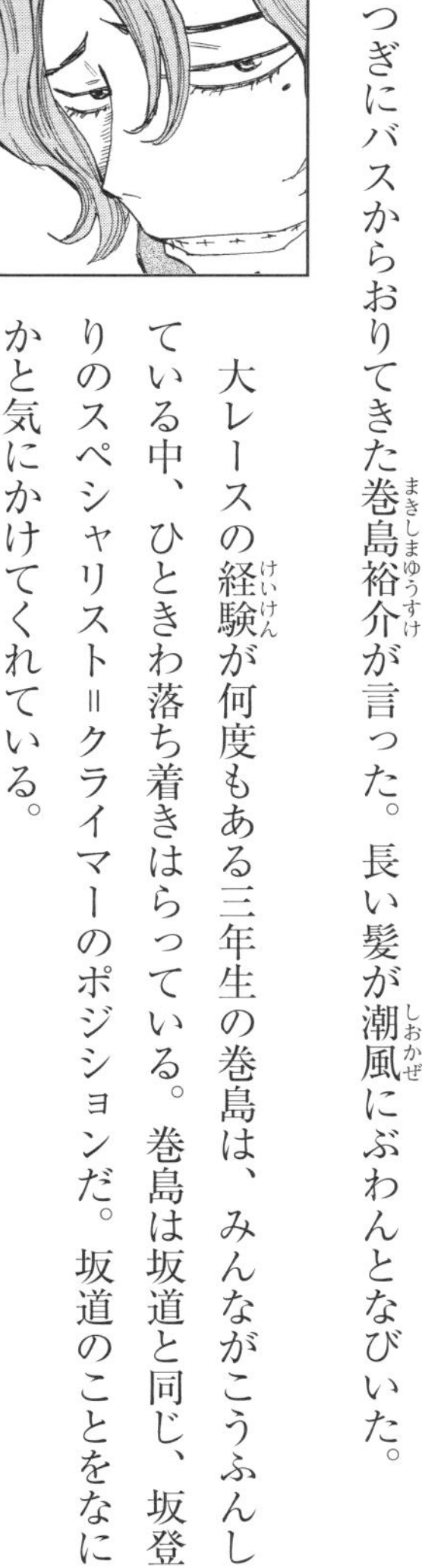

大レースの経験が何度もある三年生の巻島は、みんながこうふんしている中、ひときわ落ち着きはらっている。巻島は坂道と同じ、坂登りのスペシャリスト＝クライマーのポジションだ。坂道のことをなにかと気にかけてくれている。

そこへ、「くぁーーー、しかし、あっちーな、きょうは!!! むしぶろだぜ」

のっしのっしと三年生の田所迅がおりてきた。

本番をむかえて、その巨体はバッチリしあがっている。

ドリンクボトルからグビグビと水をのみながら、まわりにするどい目線をおくっている。

そのあと、主将の金城真護が無表情でおりてきた。

いつものサングラスすがただ。

「このあつさ……、過酷なレースになるな」

ボソッとつぶやいた。

「ガハハハ、かまいやしねェさ、条件はみんな同じだ!!」

田所がわらいとばした。

最後に補給チームの無口先輩こと二年生の青八木一と、パーマ先輩こと手嶋純太がおりてきて、田所に声をかけた。

「オレたちが補給でささえますんで、田所さんたちは走りにだけ集中してください」

「たのむぜ！」

田所が力いっぱい、二人のかたをだいた。

それを見ていた坂道が不安そうに言った。

「ボク……補給を受ける練習をしていない……レースでボトルをうけとるときに、落としたらどうしよう!!」

鳴子は「また坂道の心配性がはじまった」という顔をしたが「心配すな。わたしてくれるのは手嶋さんたちやから、じょうずにやってくれるから！」とはげました。

「ぜったいに落とすよ、ボクは……」

そうなき言を言う坂道のかたに、ポンとでかい手が置かれた。

巻島（まきしま）だった。

「そんな心配は、走り出してからするっショ。ボトルなんざ、落ちたらひろえばいいさ。目的（もくてき）をわすれなきゃ、ロスした時間はとりもどせるっショ」

目的……。

「よう、小野田、わすれたかァ〜、今年のインターハイ、やるんだぜ〜、オレたちが〜」

巻島はそう言うと、スッと人さし指を空に向けた。

「頂点（テッペン）、とるぜ？」

その指先（ゆびさき）を見つめた坂道は、

「は、はい‼」

大声で返事をした。いつの間にか不安な気持ちは消えていた。

そうだ、みんなで優勝するんだ……‼

そして、ボクにはもう一つ、目的があるんだった。

真波山岳くんにかりたボトルを、返さなきゃ。

〝かりたボトル〟とは、運命のボトルのこと。

この前の合宿へ向かうとちゅう、坂道は乗り物よいで道にたおれてしまったことがあった。そのときに、自転車で通りかかった箱根学園の真波山岳が水の入ったボトルをわたしてくれて助かった。そのボトルをまだ、返していないのだった。

二人は同い年で、坂が好きで、気があった。
その後、ぐうぜん再会したとき、真波は「インターハイなんてムリだ」と思いこんでいた坂道をはげまし、「そのボトルをかすから、インターハイの場で返してね！」と言ったのだった。

坂道はボトルを返したくて、インターハイに出たいとがんばった。

きょうはいよいよ、ボトルを返すことができるんだ。

そんなことを考えていると、「おーい、小野田くん、選手登録して、ゼッケンとりに行くで～」と、向こうで鳴子が手をふっていた。

シャ――――

そのころ、海ぞいの国道１３４号線を白いロードレーサーがものすごいスピードで走っていた。

のっているのは、小さなナップサックをせおった短パンすがたの高校生だ。

「いやぁーーー。まさかすでにバス出てるとはねーーーーー。

もう開会式ははじまっているかなーーー。

さすがに当日、ちこくはおこられるかなーーーーーー」

かれが江ノ島に着いたとき、島へとわたる橋は通行止めになっていた。

「ああ、ダメダメ、選手以外の自転車は入れないよ」と警備員にとめられた。

「すいません、ボクは選手なんです」

「えー、本当？　そんなふうには全然見えないけれど」

「箱根学園の六人目で、真波山岳と言います」

金城と福富の再会

「ゼ……ゼッケンだーーー！　カッコイイ！」

そのころ、坂道はゼッケンをうけとっていた。

記念すべき初レースの番号は１７６。

「ジャージの背中の両側に、見えるように安全ピンでとめとけよ」

田所先輩が教えてくれた。

「番号に意味はあるんですか？」

坂道が巻島に聞くと、説明してくれた。

「ん〜〜ある。三ケタの数字のうち、一番右のヒトケタは、一から六までチーム内の番号だ。金城のゼッケンは171。各校21、51とイチがつくヤツは、その学校のエースだ」

「エース……‼ うしろにイチがつく人は、強いってことか……」

「そして、田所が172、オレが173」

「ウエの二ケタは学校のことなんですね」

「そう。これは、ほぼ去年の成績順にならんでいる。オレたちは去年の成績がさんざんだったから、170番台なんだ」


ああーーーー。

坂道は先輩から聞いた話を思い出した。

去年のレースは優勝あらそいをしていた金城先輩が、箱根学園の福富にたおされて、くやしい負け方をした。だから今年の総北はそのくやしさをバネにみんなが一つになっているのだ。

われらが総北(そうほく)高校のゼッケンは、
金城真護(きんじょうしんご)　１７１
田所　迅(たどころじん)　１７２
巻島裕介(まきしまゆうすけ)　１７３
鳴子章吉(なるこしょうきち)　１７４
今泉俊輔(いまいずみしゅんすけ)　１７５
小野田坂道(おのださかみち)　１７６
ということになった。

ちょうどそのとき、

「おおっ、出たぞ、あのジャージは！」

「風格(ふうかく)がちがうな」

あたりがざわめきはじめた。

「来たぞ！」

だれかの声がして、みんなが
道をあけた。
そこへ青いジャージの軍団が
あらわれた。
箱根学園だああ‼
どよめきがあがる。
巻島はそれを見ながらこう言った。
「去年の優勝校には唯一、ヒトケタ台のゼッケンが
あたえられる。ヒトケタ台は強さのあかし」
なるほど、箱根学園は主将の福富寿一がゼッケン1をつけている。

それを、金城主将がジーッとにらみつけていた。

その視線に気がついた福富も金城をにらみ返す。

いよいよ二人のたたかいがはじまる。
今年こそ、決着をつけられるだろう。

坂道は箱根学園の集団の中に、真波山岳がいないかさがした。

しかし、見つからない。


そのころ、真波山岳は——。

「今、本部とれんらくをとってみるから、ちょっとまってねー」

まだゲートのところで、警備員につかまっていた。

あの——通してもらえないですか
キミがねェ…ちょっとまって本部と連絡とってみるから
う〜ん
まだ入口

もう一つの再会

「それではステージにあがってもらいましょう、去年の優勝校、箱根学園のみなさんです!!」

開会セレモニーがはじまった。司会者の声がひびきわたった。

ゼッケン1、2、3、4、5が台の上にあがる。

「ふぅーーー、まにあったーーーー!!」

一人かけこみで、ゼッケン6があがった。

真波山岳だ。

「おおッ、ハコガク!!!」

あたりから声が聞こえて、坂道はゾワッとした。さすが去年の優勝校だけあって、どうどうとしている。今年もオレたちが勝つに決まっているという顔つきだ。

今大会の主役の登場を、他校の選手がそんけいのまなざしで見ていた。

「出たぞ、王者。箱根学園!!」

「あの右はじのボーズあたまの男、二年らしいぜ」

「ハコガクは選手層が相当あついのに、二年でくいこむなんてすげーな」

「泉田だよ。関東大会であいつの名前、よく見るぜ」

みんな、今年の新チームの品定めをしている。

「まて、左はじのヤツ、見ろよ」

「あれ、なんで一人だけ、レーパン※はいてねーんだ」

「……一年みたいだよ⁉　はァ、だれかが病欠で、その代理じゃないのか？　印刷ミスか？　どっちにしてもなにかのまちがいだろ……」

真波が一年であることにみんな、おどろいている。


真波くん……。

真波を見つけた坂道はむねが高なった。思わず人をかきわけ、前のほうに出て、目立つようにかりているボトルを高くあげた。

真波は坂道の目印に気がついた。


ふたりは目が合った。


坂道は心の中でさけんだ。

来たよ、真波くん！

※レーパン…レーシングパンツのりゃく

うれしさをかくせない坂道に向かって、真波はステージの上から大声でさけんだ。

「来たんだね、坂道くん！」

あはははははは！

まわりからわらいがおきた。

司会者が「あーー、今のはほうふですか？　坂道を登るということですか」とあわてて場を取りつくろおうとした。でも、二人はそんなことに気がつかず、ずっと見つめあっていた。

坂道は真波がいたから、がんばれたことをかみしめていた。

真波も再会のよろこびをかくせない。

オレも来たよ‼

真波は親指で自分のむねを指した。

今泉のライバル御堂筋

そのころ、今泉は開会セレモニーには参加せずに、会場を歩き回って人をさがしていた。

開会式なんて、ただのおまつりさわぎだ。どうでもいい。どこだ……。オレは、インターハイまで来た……おまえとたたかうために‼

どこにいるんだ、御堂筋翔！

御堂筋は中学生の最後のレースで、今泉をこてんぱんにやぶったレーサーだ。

京都伏見高等学校の出場メンバーのリストに御堂筋の名前がのっているのをかくにんしたのに、会場のどこにいるか見つからない。

今泉はレースがはじまる前に、どうしても御堂筋に言っておきたいことがある。

オレは、この日のために死ぬほど練習してきた。

三つの峠で五分の差をつけられた、あの大会のかりを返すために、オレはあのときよりハートもフィジカル※も、強くなった！

早く見つけないと、とあせっていると、「じゃあ、会場の人にもほうふを聞いてみましょう。こんにちは、高校はどちらですか」と司会者が言っているのがスピーカーから聞こえてきた。

※フィジカル…体の機能や体力のこと

「高校ですか、京都伏見ですわ」
「あれ、これ、身長のわりにバイク小さいですね」と司会者がたずねている。
「いやこれ、わざわざ、小さいバイクにしてるんです。フレームは小さいほうが使うてる材料が少ないから、軽いんですわ」

ん？　この声は！

御堂筋！

今泉はステージのほうへかけ出した。

「たりひん部分はサドルとハンドルをめいっぱい前に出して対応してます」

異様な形状にカスタムされた自転車を、京都言葉のイントネーションで説明する御堂筋。
むらさき色のサイクルジャージをまとった体は長身で細身だ。

「今年の意気（いき）ごみを聞かせてください」と言われると、「ほな、ちょっとマイクかして」と、司会者（しかいしゃ）からマイクをとって、とーんとステージに勝手（かって）に登った。

みんながあぜんとする中、スタージ上に整列（せいれつ）している箱根学園（はこねがくえん）に向かってスタスタと歩いていくと、主将（しゅしょう）の福富（ふくとみ）にぎゅっと顔を近づけた。

そして、まばたき一つせず、とつぜん、さけんだ。

「今年の意気ごみはぁーーーーーーーっ
箱根学園、ぶっつぶしまーーーーす。
おぼえといてなァーーーーーー」

会場がざわついた。

「なんだ!!　ケンカを売ってるのか？
ハコガクにィ!?」

今泉もそれを見てびっくりした。

み、み、御堂筋……!!!

なおも御堂筋のマイクパフォーマンスはつづいた。

「ゼッケンナンバー91番。京都伏見一年、御堂筋翔くん、このインターハイをふみ台にして世界に羽ばたく男です」

それまで昨年度王者、箱根学園のインタビューでもりあがっていた場内はシーンとなった。

そんな中、今泉がさけんだ。

「御堂筋‼」

ステージの上から、御堂筋が声の主をさがした。

そして、ギロリと今泉を見た。

「あ。千葉の弱泉くんや。おぼえとるわ、そのガンバリすぎた目つき、ひさしぶりやなァ……ププププ…ごめん、思い出しわらいをしてもうた」

く……。御堂筋…め…。

今泉は目をつり上げ、歯をかみしめた。おにのような顔で御堂筋をにらみ返している。

それを見た御堂筋は体をゆらっゆらっと左右にゆすりながら話しはじめた。

「弱泉くん。あの日の試合、おもしろうて、おもしろうてなァ。なァ？　みんなにも聞いてもらおうか？」

「よけいなことは言わなくていい。オレはせいせいどうどう、おまえと勝負する!!　オレはそれを言いにきただけだ」

今泉はきぜんとしたたいどで言った。

「プププププププププププーーーーーーーーーッ、キモッ。今の、今のや。今のカオ、キモかった、キモかった」

御堂筋は体を前後にふってわらった。

「あのレースのときと同じカオや！」

キモッ!!　キモッ　キモッ　キモッ

両手をぐるぐると回しながら、さけびつづけた。

「なんや……」

鳴子をはじめ、みんなあっけにとられて、ざわついた。

「それはあのとき、おまえが！」

今泉が言おうとするのを御堂筋がさえぎった。今泉に顔をにゅっと近づけると、と早口でまくし立てた。

「オイオイ、あのレースで負けたのは、弱泉くんが五分七秒差、ボクにつけられてぶざまに失速したのが原因やんか。追いつく気力をなくして、毎分九十回転をいじできずに、落ちていったんが敗因やんか。足がダメダメだったんが問題やったやんか。人のせいにするのはちゃうと思うで。そういうのを、さかうらみと言う

ねんで。小学校の道徳の時間に習わんかったか。今のおまえ、人として、一番、キモイで～～～～～～～」

今泉は、御堂筋をふりはらおうとしたが、御堂筋はグルンとちゅう返りをして、みごとによけた。そして、わらいをこらえるしぐさをしたあとで、こう言った。

「ヒューーー、こわいこわい。だってさ、だってよ……、あのときもさ……。レース中に、おかあさん死んだ、と言われて、ふつう、信じるん？　それとも、マザコン？」

今泉の表情がけわしくなった。

あのレースで御堂筋はひれつな手を使ったのだった。

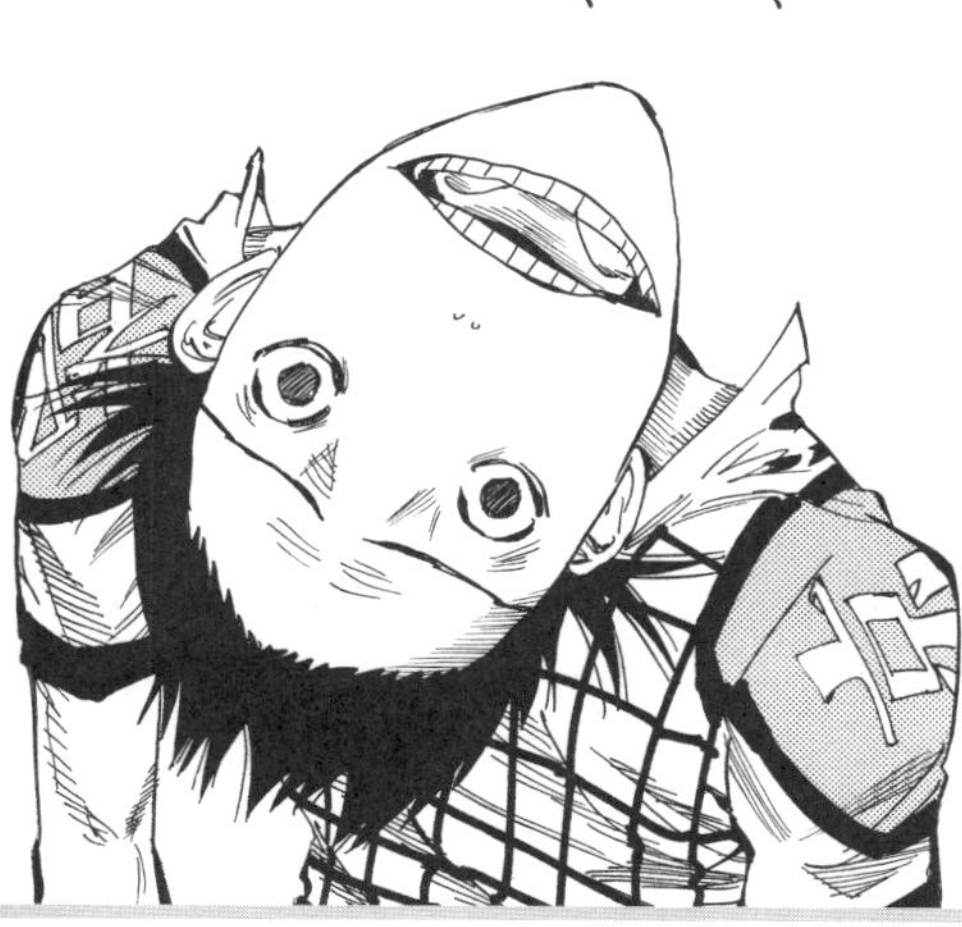

トップを走る今泉に追いついた御堂筋は「キミの母親が交通事故にあったから、係の人が今、キミをさがしているよ」とうそを言って、今泉をどうようさせたのだ。

「おもろかったで、あの弱泉くんのカオ。みるみるおまえは失速。
でもな、弱泉くんのかくごがそんだけやったというだけのことや。
ボクは母親が死んだくらいで、ペダルをゆるめたりせんよ!!?
甘泉くん!」

言われたいほうだいだ。今泉はだまって、ぎゅっとこぶしをにぎった。
話を聞いていた坂道はとってもかなしい気持ちになってきた。

「おんどりゃ、ええかげんにせんかい!! 今泉はそんなヘボちゃうで!!! おのれも自転車乗りやったらなーーーーーー」

鳴子がさけんで、御堂筋に向かっていこうとすると、そのかたをつかんで、金城がとめた。

同時に、鳴子に向かっていきそうになった御堂筋のかたを、福富がガッととめた。

福富は言った。

「自転車乗りなら、勝負は道の上でしろ!!」

御堂筋は口をポカンとあけて、おどろいた表情でふり返った。

「あーーーー、ほやな、うん。りょうかい、りょうかい。ほな、道の上でぇーーー」

御堂筋はそう言うと、ぴょんとぶたいからおりて、スタスタと歩いていった。

「行くで」

開会セレモニーは異様なふんいきになった。

会場がざわざわとした。

「京都伏見って去年も出ていたよな。でも去年はもっと和気あいあいとしたふんいきだったのに、なんだか軍隊みたいになっちゃったな」

「なんだ、あの91番のヤツ。去年はいなかった。御堂筋って一年だろう」

「オレ、あの92番の石垣と去年、走ったけど、三年だぞ」

「ってことは……、京都伏見は一年生がエースなのか！」


御堂筋は京都伏見のメンバーがまっているところへもどった。

「ほんとロードレースは最高のスポーツやねえ……道の上なら、なにをやってもゆるされる‼」

自分の顔を満足げにグニャグニャとさわった。

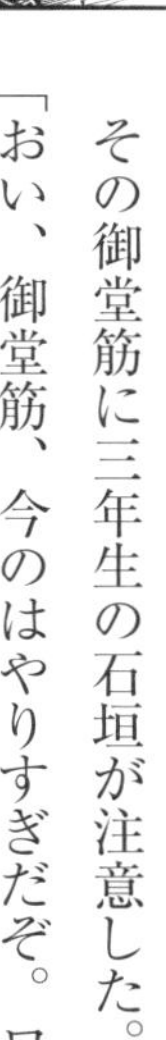

その御堂筋に三年生の石垣が注意した。

「おい、御堂筋、今のはやりすぎだぞ。ロードスポーツはしんしのスポーツや。わきまえはあるていど、ひつようや！」

すると、御堂筋は、先輩である石垣の顔を指ではさんでグニュグニュしながら言った。

「うーーーーん、なんで、ボクのことよびすてなん？　ボク、エースやで。軍隊でいうたら隊長やで。クンづけしろと言うとるやろ。おまえらはな、ボクにつくせ、かしずけ。手足のように動け。おまえらがやることはボクの命令にしたがうことや。せやけど、それさえやっとったら、ボクが完全優勝をやる‼」

「……わかった。御堂筋……くん」

石垣は目をふせた。

御堂筋がステージから立ちさったあとも、今泉はじっと立ちつくしていた。

「あ……あの、今泉くん、だ、だいじょうぶ?」と坂道は心配して声をかけた。

「よかったぜ……」と、今泉がポツリと言ったので坂道はおどろいた。

「御堂筋はちっとも変わってなかった。反省でもして性格が変わっていたらどうしようかと思っていたところだ。いい!! それでこそ、御堂筋だ!! 一つ、ヤツに伝えわすれたな。オレはせいせいどうどうと勝負をする。そして、かならず、おまえをたおす!!」

今泉はこぶしをにぎった。ひとみのおくには、ほのおがもえていた。

こうして、金城は福富に、今泉は御堂筋に、そして、坂道は真波に、それぞれがライバルとの再会をはたした。

まもなく、インターハイのスタート時間だ。

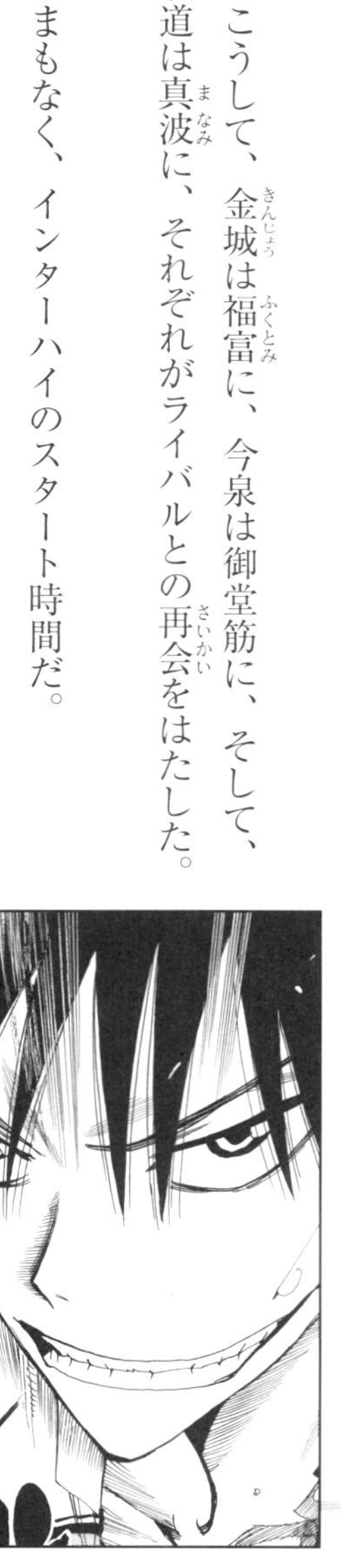

スタートの鼓動

スタート時間が近づいて、寒咲ミキがいそがしくなってきた。

「巻島先輩にはスペシャル配合のドリンクと、補給食が一、二、三と」

「田所先輩にはエナジーバー五本とゼリー五本をわすれずに」

「金城さんは、ボトル二本、ドリンクと水と」

総北高校自転車競技部マネージャーのレースでのだいじな仕事は、補給の管理だ。ミキと、青八木、手嶋、一年の杉元は、選手たちにレースとちゅうでのみ物をわたす補給チームだ。

かれらはミキの兄の寒咲通司が運転する寒咲自転車店の車で、レースを先回りして、給水ポイントで選手たちをまつ。カラになったボトルとのみ物が入ったボトルをこうかん

して、選手に補給食を手わたす。

〝補給〟は、長距離レースでは、勝ち負けを左右する重要なものだ。

レースで走る選手たちもチームならば、補給をまかされるうらかたもチームなのだ。


「よし、行きましょ。そろそろスタートよ」

ミキは補給チームに声をかけた。インターハイ出場のレギュラーメンバーにえらばれなかった青八木と手嶋が、水の入ったおもいバッグをかついだ。

これからスタート地点に向かい、スタート直前に選手たちのボトルを新しいものにとりかえるのだ。


江ノ島にかかる橋の入り口に、日本一を目指す選手たちが色とりどりのユニフォームに身をつつんで集まっている。

それを目にして、ミキは、ぷるっと武者ぶるいした。

ああー。
緊張感と、闘争心と、願いと、祈りと、
はりつめていて、ちょっとさわるとくずれて
しまいそうなスタート前の空気……。
あせとタイヤのゴムとオイルとが、
まざり合った独特のにおい。
みんながだれもが、限界点を目指してならぶ
鼓動が伝わってくるーー。

静かな想い、熱い想い、人への想い、
ゴールへの想い、自分への想いをーーー
胸に抱いて、はじまるのね。

真夏のレース、インターハイが。

そんな思いでむねがいっぱいになっていると、アナウンスが聞こえた。

「まもなくスタート五分前です。選手(せんしゅ)はスタートラインにおならびください」

地面に引かれた白いスタートラインにそって、一番前でずらりとならんでいるのは、ヒトケタゼッケンの箱根学園(はこねがくえん)の面々(めんめん)。

総北(そうほく)高校は、全体のうしろの方にいる。

ミキは、見なれたジャージを見つけてかけよった。

「おまたせしました。ドリンクと補給食(ほきゅうしょく)を持ってきました」

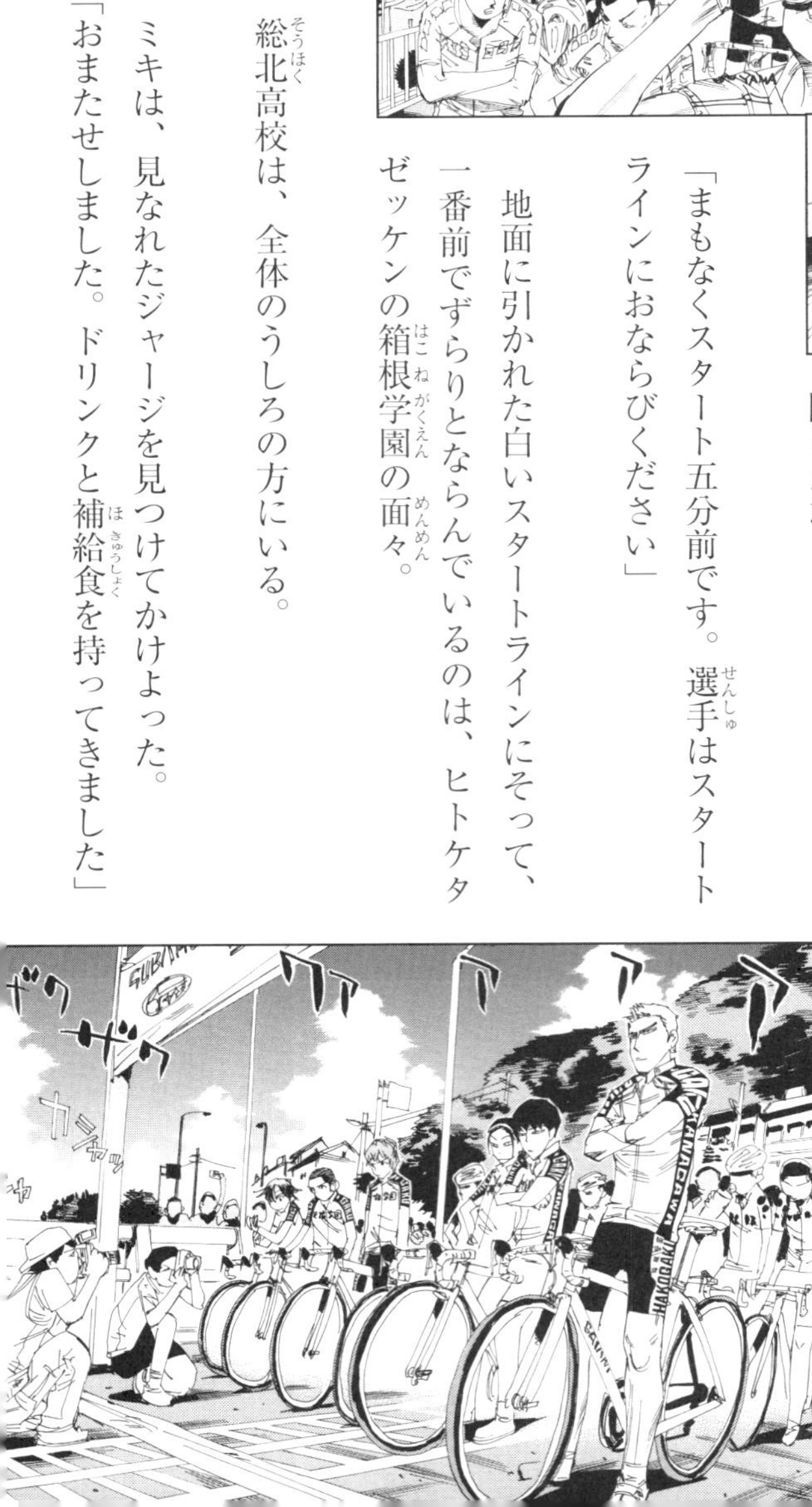

金城が「すまないな」と声をかけた。

「みなさん、がんばってくださいね!!」

ミキは一人、ガッチガチにきんちょうしている選手がいることに気がついた。

坂道がはーはーとあらい息をして、思いつめた顔をしていた。

人がすごいたくさんいる……。

でも……ダメだ……頂点を目指すんだ、

きんちょうしている場合じゃない。

おちつけ

おちつけ

おちつけ——!!

ミキがきんちょうをほぐす声でもかけてあげようと思ったら、巻島が「まァ、いつもの儀式みたいなモンだろ。見守ってやるショ」とミキをとめた。

急に坂道は大声でさけんだ。

「こんなときは息を大きくすって、深呼吸ーーー!!」

坂道がふり回したうでがとなりにいた鳴子の顔にバチンとあたった。

「のわっ!」

「ごめん、鳴子くん、だいじょうぶ?」

坂道はあわてた。そのひょうしに、自転車をたおして、ハデにころんでしまった。

「だいじょうぶかい? けがはないかい? 立てる?」

ちがうチームの選手が、坂道の心配をしてくれている。

「ボクは頂点を目指すのです‼　だからだいじょうぶです‼」

きんちょうのあまり、目がギンギンになった坂道が、あわてふためいている。

手をかした男子も思わず、「え？　ああ、が…がんばってね」と返している。

坂道は、たおれた自転車をおこして息をととのえている。

はーーーーーーーーーーーー

ふぅ

すると、さっきまでとはちがって、表情がスッとしまった。

巻島が「一回、ころんどきゃ、落ち着くっショ」と言った。

坂道が落ち着いたところで、ミキが声をかけた。

「小野田くんにも、ボトルと補給食をわたしておくね。ボトルは二本あるから、山に入るまでにのんで半分にへらしておいて。少しでも軽いほうが有利だから」

「うん」

「小野田くん……だいじょうぶ？」

やっぱり少し不安になってミキは聞いた。

「さっきので……少し落ち着いてきた。みんなの声も聞こえるようになったし。今はドキドキしているけれど、それよりワクワクしている気がしてる。みんなと走れるから!!」

ミキはその言葉を聞いて安心し、だまってうなずいた。

「まもなくスタート二分前です。選手以外のかたはコースからはなれてください」

アナウンスが聞こえた。

「いよいよやな」と鳴子が言った。

「ああ」と今泉が気合いを入れた。
「見とけよ、箱根学園」と
田所がほえた。
「やるっきゃないッショ」と
巻島がつづいた。
坂道は、ぐっと心を決めた。
「いくぞ！」
金城の合図で六人のメンバーは、
グーの手をぶつけあった。

ゴスゴスゴス
こぶしがぶつかった。

「はい！」

「おう！」


「まもなくスタート一分前です！」

ミキはレースにいどむメンバーをかんがい深い思いで見つめていた。

まさか、坂道がスタートラインに立っているなんて。

高校のろうかではじめて会った日……、
アニメ研究部メンバー募集のポスターをひろってあげたこと……、
入部届……一年生のウェルカムレース……、
選手選考の千キロ合宿……、
ここまでの道のりを思い出すと、むねが熱くなった。
ミキは心の中で、坂道に語りかけた。
小野田くん、今泉くん、鳴子くん、三年の先輩方、だれがかけても、このチームはできなかったと思う。

小野田くん、今のあなたがうらやましいわ。
はじめて走る公式レースが、みんなのあこがれのインターハイのぶたいで、
最高のメンバーといっしょに走れるなんて。
それって最高のことだよ。

だから、小野田くん、今のあなたにおくる言葉は「がんばって」じゃない。
人生ではじめてのレースは、人生に一度しかないの。

だからーー。

「小野田くん！　思いっきり、たのしんできてね！」
ミキはフェンスから身をのり出して、さけんだ。

坂道がミキを見た。
ミキの声に気づいた坂道がうなずく
のがわかった。

パアーーーーン
スタートです！

合図(あいず)のピストルがなった。

スタートライン

「インターハイ、ロードレース男子一日目。スタートです‼」

アナウンスの声と同時に、まず先導車(せんどうしゃ)が動き出した。

それにつづいて、箱根学園(はこねがくえん)を先頭(せんとう)に、百二十人のロードレーサーの列(れつ)が動いた。

「おおっ！　先頭のほうが、動き出した！　カッカカッ、来るで、来るで！」

鳴子(なるこ)がこうふんをおさえきれない。

坂道のまわりの選手たちも動き出し、体の小さな坂道は、その動きに引っぱられるように、まわりにあわせながらペダルをふんだ。

ああーー、なんだこれはーーーー、すごい空気だ。

みんなの息づかいや、ピリピリしたきんちょうかんが伝わってくる。

坂道は体が思ったようにうまく動かなくて、いきなりペダルをふみそこねたが、鳴子の「流れにのれよ!! 小野田くん」という声が聞こえて、われにかえった。

なんだ!! おされる……引っぱられる!?

全体が大きな生き物みたいに動いていく!!

これが、ほんかくてきな……公式レース!!!

「あわてるなよ、小野田。最初の二キロはパレードランだ」
今泉が坂道に声をかけた。
パレードランというのは、観客のために走る区間で、勝ち負けの関係ない、レース前のはなやかな、まさにパレードなのだ。

こうして、坂道の初の公式レースはなんとかスタートした。


「カッカッカッ、はじまったな、小野田くん。まあ、本スタートは二キロ先だ。たいへんやで、この一日目のコースは」

鳴子が坂道に話しかけた。

「海岸線を走る区間は、ほぼまっすぐで平坦。だから、小野田くんみたいなクライマーにとってはがまんの区間や」

「がまん…？」

「そうや、ワイらスプリンターの見せ場やからな」

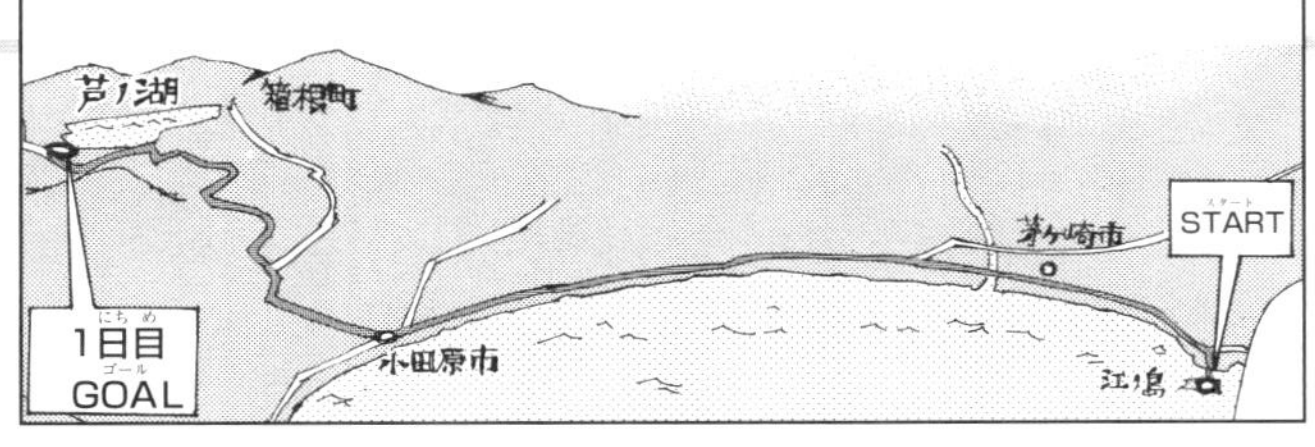

江ノ島をスタートしたら、すぐに国道１３４号線を西に向かい、海を左側に見ながら小田原まで平坦コースを進む。小田原市内をぬけると上り坂がはじまり、箱根に入ると一日目のゴールである芦ノ湖までは山岳コースになる。

がまん……か。

坂道がうつむくと、鳴子がポーンとかたをたたいて言った。

「でも、きばろうや、小野田くん。三日間、長いたたかいになるやろうけれど、なんとかふんばって、きばって、生きのこって……。ワイわな、こうやって、ワイと小野田くんと今泉と、三人でかたを組んでトップでゴールできたら最高に気持ちいいやろうなと思うとるんや」

坂道が気づくと、右には鳴子が、左には今泉が走っていた。

三人……。

坂道が「三人」という言葉をかみしめていると、今泉が言った。

「めずらしいな、オレも頭数に入っているのか」

「あーーーー、ついでやけどな。ついで!! 一人のこしたら、なくやろ、おまえ? おまえのなき顔を見んのは、ゴールしてからでええと思ってな」

と鳴子が言った。

それを聞いた今泉はつぶやいた。

「フン、あまいな……。前にも言ったろ、ロードレースの勝者は常に一人だ。そんな、三人そろってだなんて、ゆめ……理想……絵空事……だ」

その後、今泉が坂道のかたをパンとたたいて言った。

「だがな、そういう絵はわるくは……ない！」

「うん‼」

坂道は満面のえみをうかべて返事をした。
すごい、すごい、力がわいてくる‼
行こう‼
生きのころう‼
そして、ゴールへ、三人で‼
坂道はそのようすを思いうかべてみた。

鳴子がいたずらっぽくささやいた。

「でも、このことは三年の先輩にはヒミツやで。トップゴールをねらってることがバレたら、グラサン部長におこられそうや」

今泉が坂道にくぎをさした。

「その前に、小野田は、平坦区間でちぎられないようにな！」

坂道は山道ではものすごい力を出すが、平坦コースでの実績はまるでない。

そのとき、総北メンバーが走っているすぐ前のあたりがざわざわしはじめた。

「おい、一台、下がってくるぞ！」

「うぉお、箱根学園だ！」

「先頭を走っていた箱根学園が一台、下がってきた！」

その一台はスピードを落として、なんと総北のところまで下がってきた。

「やあ！　坂道くん！」
えがおで声をかけてきたのは、ゼッケン6番の真波山岳だった。

「ま、ま、真波くん！」

真波山岳が、坂道のところへあいさつにきたのだ。

レース集団の中で一番目立つ王者・箱根学園のジャージを着た選手が、だれになんの用事だろう、とみんなが注目した。その選手が坂道と話をしはじめたので、坂道はまわりから「こいつは、だれなんだ？」という目で見られた。

真波はむだなことは言わなかった。

坂道に向かって、ただひと言、言った。

「勝負（しょうぶ）だよっ‼　ぜったいに山まで来て。そして、もう一度、本当の勝負をしよう‼」

坂道は、それに力強く答えた。

「うん‼」

その返事を聞くと、真波はまた、スピードをあげて、自分のポジションにもどっていった。

坂道は、その背中（せなか）を見つめながら思った。

はじまる、レースが、インターハイがはじまる。

もう、にげ出すことはゆるされない。

たたかうしか……ない‼

レース開始からまもなく二キロ。
先のほうに陸橋が見えてきた。その上で観客が選手が来るのをまっているのが見える。
「小野田くん、あの陸橋をくぐったら、ほんかくスタートだ‼」と鳴子が言った。
観客たちがさわぎ出した。

第二章
スプリンター決戦

きんちょうのスタート

パレードの先頭はしんぱんが乗った車だ。
陸橋の下で、その車のサンルーフがひらいた。
「来るぞ」と今泉がつぶやく。
坂道は「いよいよか」と息をのんだ。
ひらいた車のやねから、しんぱんが顔を出した。手には、はたを持っている。
はたがふられた。
スタートの合図だ！
「そら来た！」

「行くぞ」

百二十台の自転車がいっせいにとばしはじめた。

ジャアアアアアアアアアアアアアアア
ジャアアアアアアアアアアアアアアア
ジャアアアアアアアアアアアアアアア
ジャアアアアアアアアアアアアアアア
ジャアアアアアアアアアアアアアアア
ジャアアアアアアアアアアアアアアア

すべての自転車のスピードが、急に速くなった。

坂道は流れにまきこまれて、もみくちゃになりそうになり、自分がどこを走っているのか、一瞬(いっしゅん)、わからなくなった。

速い……!!

今までに体験したことのない音と風!!


自転車の大集団が道路いっぱいにひろがって進んでいく。

まるで魚のむれがうごめいているようだ。


沿道では、はたをふって、おうえんする人たちがいる。

「うおおッ、速えッ!! なんだあれ、エンジン、ついてんじゃないのか!!」

ふだん、自動車が走るバイパス道路も、今日はレースのために車は通行止めだ。

坂道は、レーススタートの熱気にびっくりしていたが、総北の黄色いジャージの列におくれまいと必死にくらいついた。

でも……。

なんとかついていけそうだ、と坂道はホッとした。

これが合宿の成果なのか⁉

坂道は総北メンバーのペースにあわせて走れている自分に気がついたのだ。

チームのペースはどんどんとあがっていたが、坂道は問題なくついていけた。

巻島はそんな坂道のようすを少し安心した表情で見つめていた。

そのとき、「ちょっとごめんやで」と坂道の横をするすると通って、鳴子が前に出た。

「さぁて‼　いよいよ出番や……」

レースにかける意気ごみが声にあふれている。

それを聞いた田所がすぐさま鳴子にならびかけてたしなめた。

「おいおい、合図するまでは勝手にとび出すなよ」

鳴子はこぎながら田所に言った。

「たのしみすぎて、ウンコが出そうですわ！　スタートして、ずーっと直線‼　平らな道‼　それが五十キロつづくんすよ‼　平坦平坦また平坦‼　こんなコース、ワイのために用意されたんとちゃいますか⁉」

それを聞いた田所は、親指をたてて自分を指差した。

「いや…オレのためだ‼」

坂道は少しうしろから、そのようすを見ていたが、二人がなんの話をしているのかわからなかった。

きょとんとしていると、巻島が近づいてきた。

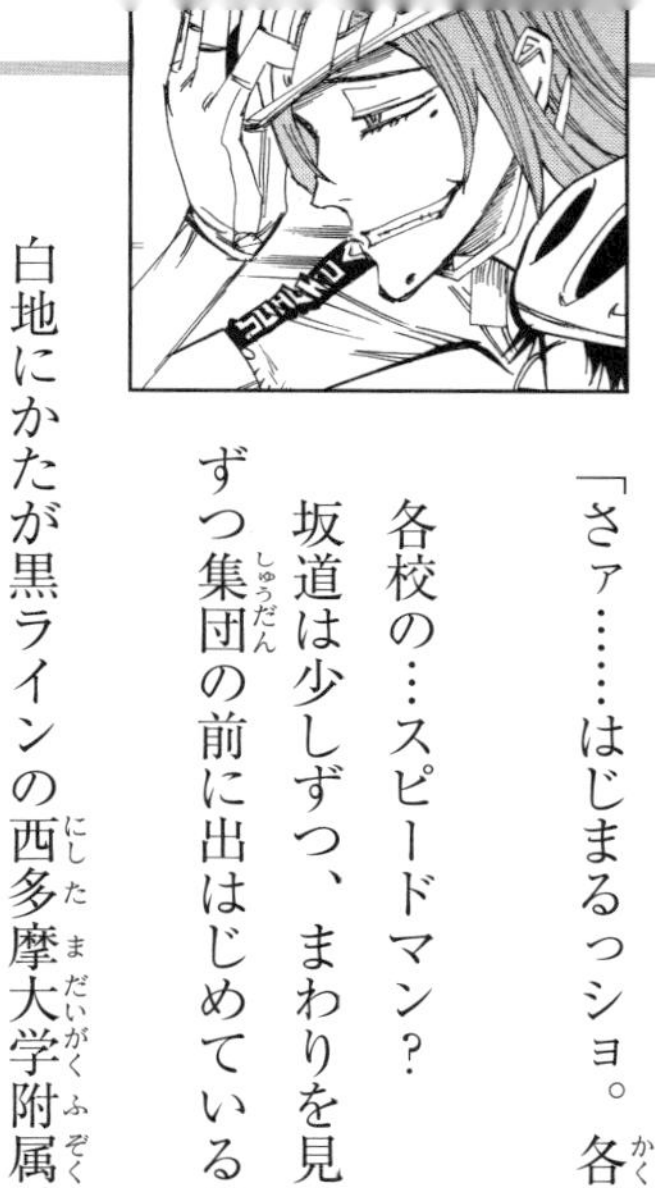

「さァ……はじまるっショ。各校のスピードマンたちが見られるぜ」

各校の…スピードマン？

坂道は少しずつ、まわりを見るよゆうができてきた。各チームの選手が一人ずつ集団の前に出はじめているのがわかった。

白地にかたが黒ラインの西多摩大学附属、
かたにピンクのラインの山形最上、
オレンジ色がまぶしい城南、
かたが紅色ラインの金沢三崎工業、
全身黄色に青い帯の奈良山理学園……。

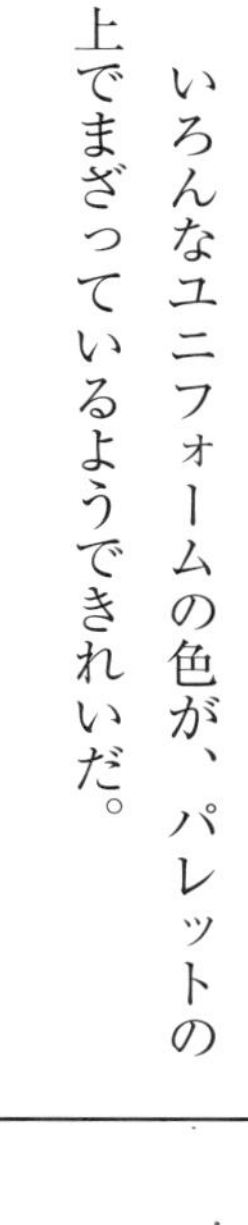

いろんなユニフォームの色が、パレットの上でまざっているようできれいだ。

「あれが各校のスプリンターだ」

巻島はなめらかにペダルをふみながら、坂道に「レースのいろは」を教えてくれる。

「スプリンターは花形だ。ハデでまっすぐでかざりがない分、実力にウソはつけねぇ。言葉じゃねぇ、運じゃねぇ、勝ち負けはズバリ力の差!!

レースのはじめってのは、各チームから出されたスプリンターたちが、足を競いあう力くらべをするっショ!!」


たしかに、総北のスプリンターは田所と鳴子だ。

「なんのための……力くらべですか?」と坂道はしつもんした。

巻島は答えた。

「レースがはじまってすぐの〝ドアタマ〟で先頭を取ることは、力の差を見せつけたことになる。その事実は、ほかのチームへのプレッシャーになり、アドバンテージになる!!
・・・・・・・
レースの主導権をとることができて、チームが有利になるんだ」

「レースの…主導権‼」

坂道はゴクリとつばをのんだ。よくわかったわけではないが、主導権はだいじそうだ。

「小野田、よーく、見とけよ‼　最初のこのたたかいで前に出られるのは、トップスプリンターとよばれる、はえぬきの実力者だけだ‼」

坂道の目には、今にもとび出そうとしている田所と鳴子の黄色い背中が見える。

一番を目指すためのレースがはじまっている――。

田所と鳴子のせめぎあい

レースがスタートして、十五分がすぎたころ、各校のスプリンターがとび出した。

金沢三崎や奈良山理などの先頭から少しおくれて田所と鳴子が走っている。

鳴子は、となりを走る田所にうったえた。

「まだですか、オッサン!!」

田所は顔色一つ変えない。

「オッサンって言うな!!　鳴子よ、こういうのは少しハンデがあるほうがきくんだよ!!　スプリンターってものは、インパクトがだいじだからな、インパクトが!!」

「まだ、まだかいっ!!」

「まだだ！　ヤツらがうしろをふり返って、もうだれも来ないと思うまで、じっとしてろ。そうやって安心させたところで、ズバッと行くんだよ」

田所の目は、獲物をねらうタカのようにするどくなっている。

やがて、田所の予言どおり、先に行くレーサーの一人が、チラッとうしろを見た。

それをかくにんするやいなや、田所は下ハンドルに持ちかえ加速した。

「オラッ、行くぞ、赤頭ぁぁぁぁああ!!」

がしゃあああああ!!

「おるあああああああああああああ、鳴子章吉、御開帳やーーー!!」

鳴子もすぐさま下ハンドルに持ちかえて、急加速をはじめた。

オラオラオラオラオラオラオラオラー!!

おるああああああああああああー!!

　がまんしていた二台がスピードをあげると、後方集団からざわめきがおこった。

「総北高校、おくれてとび出したぞ!」

「ふ……二人!?　総北はトップスプリンターが二人いるぞ!!!」

「まて、なんだ、あの赤いの……あんなヤツ、総北にいたか?」

　田所の作戦どおり、まわりをおどろかせるインパクトは十分だ。

　一年生の鳴子の存在を知るものは少なく、よけいにおどろかれている。

速い！

まるでバイクのように加速していく!!

そのようすをうしろから見ていた坂道はあっとうされていた。

「すごいいきおいで行ってしまいましたね、田所さんと鳴子くん。

な、なかよく走ってますかね」

あっという間に見えなくなった二人を見送りながら、坂道が金城に話しかけた。

「いや、無理だろうな？」

金城は顔色一つ変えずに答えた。

「え？　だ、だいじょうぶなんですか？　あの……ケンカとかしてないですかね」

坂道があわてると、金城が答えた。

「しているだろうな」

そして、こうつづけた。

「小野田、なぜ、田所と鳴子、二人で行かせたか、わかるか？」

「か……風よけにして……ってことですよね」と坂道は答えた。

前を走る一人を風よけにすると、うしろの一人は体力をためながら最高速で走ることができる。この間まで初心者だった坂道も、今はそのことを体でおぼえている。

すると、金城は言った。

「ふつうはそうだな……だが、あいつらはちょっとちがうな。もし、あいつらが一人で走っていたら、おそらくスプリンター集団に入りこむのがせいいっぱいだったろう。あいつらが最高速をいじできる理由、それは……競争しているからだ。たとえチームメイトでもな……。スプリンターはそういう生き物なのさ!!　これはどちらかが一歩でも相手に負けてると思っていては成立しない。〝こいつにだけはぜったいに負けたくない〟と本気で思っているあいつらだからこそ、できるのさ」

金城の予想どおりだった。

鳴子が「ジャマなんすけど」と言えば、
「おまえがな!!」と田所が返す。

二人はこぎながら、ドスッドスッとぶつかりながら前に進んでいた。

一気にとび出した、この総北高校のスプリンターを、さめた目で見ている男が金城のほかにもいた。

後方集団の青いジャージ、王者・箱根学園の主将の福富だ。

巨体をまるめて、ペダルをふんでる。

まったくつまらなそうに、ふん、とはな息(いき)を一つ出すと、自分のとなりを走るレーサーに向かってゆっくりと口を開いた。

「泉田(いずみだ)、どうだ。はじめてのインターハイ、きんちょうしているか？　いけるか？」

泉田とよばれた、マツ毛の長い男は、口元(くちもと)にうっすらとえみをうかべながら答えた。

「ええ、むねがはりさけそうですよ。たのしみすぎてね……」

泉田は少し目をほそめ、田所と鳴子(なるこ)の背中(せなか)を見すえたままで答えた。

「かれらには、十分なハンデをあたえます。この平坦区間(へいたんくかん)のレースは……ボクがコントロールして見せますよ‼」

この泉田塔一郎(とういちろう)こそ、連覇(れんぱ)をねらう箱根学園(はこねがくえん)のスプリンターなのだ。

リザルトにこだわれ

一方、スタートを見とどけた寒咲ミキたちの補給チームは車にもどろうと急いでいた。

「おそいぞ、早く乗れ。給水ポイントに先回りするぞ」

運転席にいた寒咲通司がおかしを口にくわえたままで言った。

大荷物を車につみこむと、車は発進した。車には通司とピエールかんとく、ミキ、青八木と手嶋、杉元の六人が乗っている。

杉元が言った。

「車に乗っていると、だれが一位で、総北がどのあたりを走っているのか、わからないのが難点ですね」

するとミキが説明した。

「インターハイは十五キロごとに、区間タイムを計測して、とちゅう経過が発表されるわ。走っている選手たちにも、審判車からボードで知らされるのよ。順位は〝戦略〟を動かすわ。最初のポイントで一位をとれれば、精神的に有利になる。『この学校にはかなわない』と思わせることで、レース全体をコントロールしやすくなるの」

横から手嶋が口をはさんだ。

「だから、各校は最初の平坦道にトップスプリンターを送りこむのさ」

そして、ミキはスプリンターについて杉元に説明した。

「スプリンターにとって最初の経過点を一位で通過すること、つまりファーストリザルトはチームのためでもあり、自分のためでもあるの。リザルトは〝称号〟よ。

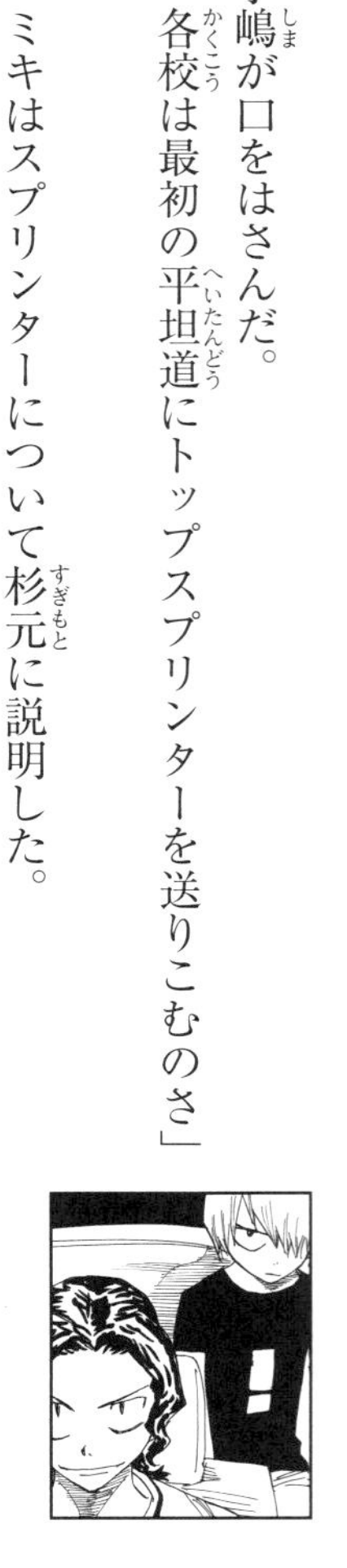

中間リザルト（第□計測ポイン

1位	高等学校	選手
2位	高等学校	選手
3位	高等学校	選手
4位	高等学校	選手
5位	高等学校	選手

スプリンターは、目の前の選手をくい、一メートルでも十センチでも前へ出る。ゼロコンマ数秒の判断力で、一瞬の空気と瞬発力で、自分に一番有利なポジションをとる。最高のスピードを追いもとめて走るかれらにとって、一番ほしいものは、『だれよりも速く、そして負けない』という最速最強の称号なのよ」

それを聞いて、ピエールかんとくはうなずいた。

通司はおかしをしたでころがしながら、だまって前を向いて運転していた。

競争

鳴子と田所はかたをならべて、前を行く他校のスプリンターたちを追っている。

カッカッカッカッ

ガハハハハハハハ

「ジャマです。オッサン、そのでかい体が‼」

「うるせー、おめーがうしろに下がれ、赤マメツブ‼」

「安心してください、ワイが一番に計測ポイントを通過して、最初のリザルトをとったりますわ‼ チームのために」と鳴子が言えば、

「百年はえーよ‼ いや百万年‼ チームのためにオレがやる‼」と田所も言い返す。

二人はかたをガンガンぶつけあいながら、スピードをぐんぐんとあげているのだった。

「最初のリザルトに名前のせて、全国に名前をとどろかすのはワイです」

「オレだー!!」

どちらもまったくゆずらない。

そうして、二人は前を行くトップ集団に近づきはじめた。


集団の一人が二人に気がついて、声をあげた。

「うしろからまだ来る!!」

その声で、何人かがふり返った。

「あのジャージ、総北だ！　千葉か!!」

「う……二人いるぞ？　スプリンターを二人も出してきたのか!!」

「三年田所の肉弾列車か!!　暴走の肉弾頭!!」

「田所を風よけにして、もう一人を温存して、最初のリザルトをとりにくる気だな」

「いや、よく見ろ、全然、風よけになってない!!」

田所と鳴子はたてにならんでいない。横にならんで、たがいにぶつかりながらせまってくる。二人とも向かい風を、いやというほどあびている。

「どうなっているんだ、なにかの作戦か、……ていうか、たんなるアホか？　よくあんなので、うしろから追いついてこられたな……‼」

ほかのチームからは、レース必勝法から大きくはずれた、ありえない作戦に見えていた。

二人はそんなこと、おかまいなしだ。

おるあああああああああああああああーーー‼

オラオラオラオラオラオラオラオラーーーー‼

「どけ、どけ、どけええ‼」

二人はどんどんとばし、トップ集団にもう少しでとどくところまで来た。


金沢三崎の柴田がいらついた。


「くそ‼　マジかよ、ていうか、なんで二人はならんで走ってるんだ?

……‼　そうか。これは作戦……‼　セオリーを無視した走りで、オレたちをどうようさせ、そのこんらんに乗じて、チャンスをねらうつもりだ……‼

あさいな総北。こういう局面でだいじなのは冷静さだ。

オレはゆるがない男、北陸の疾風‼

おまえらのハッタリアタック、粉みじんにしてやる‼」

柴田はグンととび出し、トップで「計測ポイントまであと四キロ」地点を通過した。

「あとのこり四キロ!　このまま独走してやる‼　ついてきてみろ、総北‼」

のこされた他校の集団はくやしそうだ。

「くそ!!　不意打ちアタック!!」

「こんらんに乗じて柴田がとび出した。う……だれも反応できない」

「どーします、オッサン!!　せっかく追いついたのに一人、行ってもうたで!!」

鳴子はあせった。

が、田所は動じない。

「そうだな、ここは二人で行くと効率が悪いな」

二人は考えていることが同じだった。

「先輩、のこってください」と鳴子が言えば、

「おまえ、のこれ」と田所もゆずらない。

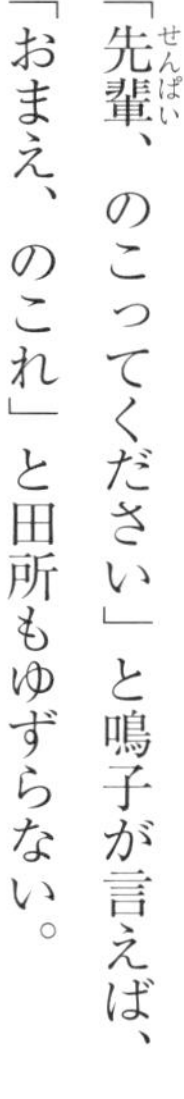

その少し前を行く柴田が、「だれもついてこられない、よし……よし、最初のリザルトはオレがいただく!!」と思った瞬間、背後に大きな影がせまってきた。

田所と鳴子だ。

二人はあっという間に柴田をぬいた。

まだ、言いあらそっている。

「んなこと言って、先いく気でしょ!!」

と鳴子がけん制すれば、

「オレはほんのりと、ゆずれと言ってるんだよ。先輩たてろってな!!」と田所。

「ヤです!!」と鳴子がはんこうすれば、

「ヤじゃねーだろ。尊敬してねーのか、オレを!!」とどすをきかす田所。

「えっ……」と鳴子、「しろォォーーー!!」と田所。

ならんで走りながら、まるでケンカをしている二人にぬかされた柴田(しばた)はあっけにとられた。

「なんだ、あいつら。なんで……!!　なんでそんなに走れるんだァァ!!」

スプリントマシーン

田所と鳴子(なるこ)は、言いあらそいをしながら走り、トップにたった。

そこに影(かげ)のように一台のマシンがスーッと近づいてきた。

「楽しそうですね、そのあそび。ボクもまぜてもらっていいですか」

「だれや?」

鳴子がふり返った。

田所と鳴子が下ハンドルなのに、この選手はハンドルを持たずに手ばなし運転をしていた。

「二年の泉田塔一郎と言います。ボク、〝神奈川の最速屋〟ともよばれています」

箱根学園……！

「来たか……やはり箱根学園のスプリンター」

と、田所が目を光らせると、

「うしろから猛追してきよる元気なのがおると思たら、ハコガクさんかいっ‼」と、鳴子がいせいよくむかえた。

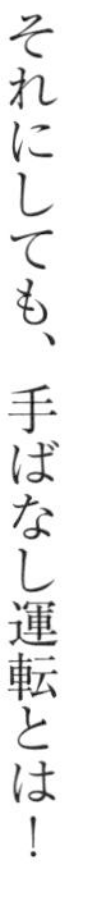

それにしても、手ばなし運転とは！

鳴子と田所は顔を見合わせた。

これは、かなり変わった運転スタイルだ。手ばなし運転でサドルにすわり、足だけでペダルをこぐ。まるでイスにすわっている人が高速で横移動しているように見える。

「そのこぎ方でうしろのトップスプリンターの集団もぬいてきたんか」

鳴子が聞くと、泉田は答えた。

「いやあ、今のボクにとってアレはたいしたことなかったですよ」

そう言うと、泉田はジャージのジッパーをツーッとおろした。

泉田のむねが見えた。ボディービルダーかと思うほどのムッキムキの筋肉だ。まるで筋肉のよろいだ。

どうだ？　と、わざわざ見せつけるようにしている。

田所と鳴子は泉田の筋肉をちらりと見やると、どちらからともなくスパート。すぐに五メートルほど泉田を引きはなした。

ところが、泉田は顔色一つ変えることなく、グルッとペダルをふみこむと手ばなしのまま、近づいてきた。

鳴子は内心おどろき、興味深く見つめた。

反応早い‼

口だけやないな、こいつ。

ワイらの速度にはヨユーで追いつけるいうことか。

でも、口では「ええで……オモロイ‼」と、となりにきた泉田に言った。

「最初の計測ポイントまであと三キロや。かかってこいや、マツ毛くん!!」

そう言うやいなや、鳴子は得意の下ハンドルのまま、しりをピンとあげたポーズへと変わった。ぶっとばすときに前につんのめる体勢だ。

そして、いざ、エンジンを点火しようとしたそのとき、田所の冷静な声が聞こえた。

「まて」

田所のするどい目が「今じゃない」と語っている。鳴子はそれがわかって、突進をやめた。

「あれっ、なんだぁ……行かないんですか？ボクはタイミング的によかったんですが」

泉田は二人を挑発するような言い方をし、さらに鳴子をいらだたせるように、指をクイクイッと動かして見せた。


鳴子はカッとなりそうになりながら、田所に話しかけた。

「オッサン、なんでやねん‼　今、完全にブァーーーッと行くとこやろ。こいつにワイの実力を見せたるねん‼　スプリントは度胸とタイミングや‼　ビビッときたときがとび出すタイミングやろ‼」

田所は鳴子の言葉が聞こえなかったように、泉田に話しかけた。

「おまえ、なんでジャージの前をしめねェんだ？」

「あ…………ああ、すいません。気になりますか？」

泉田はニコッと敬語で答えた。しかし今度は、田所を挑発するような言い方をした。

「意外に細かいこと、気にしますね～」

それでも田所は岩のように顔色一つ変えない。

「それとおめぇは関東の大会でちょこっと名前を聞くていどだ。だけど、今、全国のトップスプリンターたちがひしめく先頭集団まで追いつき、ここまで来ている。どうやったって、実力と成績が見合わねェが……どうしてだ？」

鳴子はハッとした。田所がそんなに冷静に分析しているとは思わなかったのだ。
さすがだ、と、実戦なれしている先輩レーサーのすごみを感じた。
すると泉田が不敵なえみをうかべて言った。
「するどいですね。さすがです。福富さんが気にしていた総北だけのことはある。
いいでしょう、もう本番ですからね。ひみつを明かしますよ」
泉田はひと呼吸してから話しはじめた。
「この肉体をつくりあげるために、調整をしていたんです。

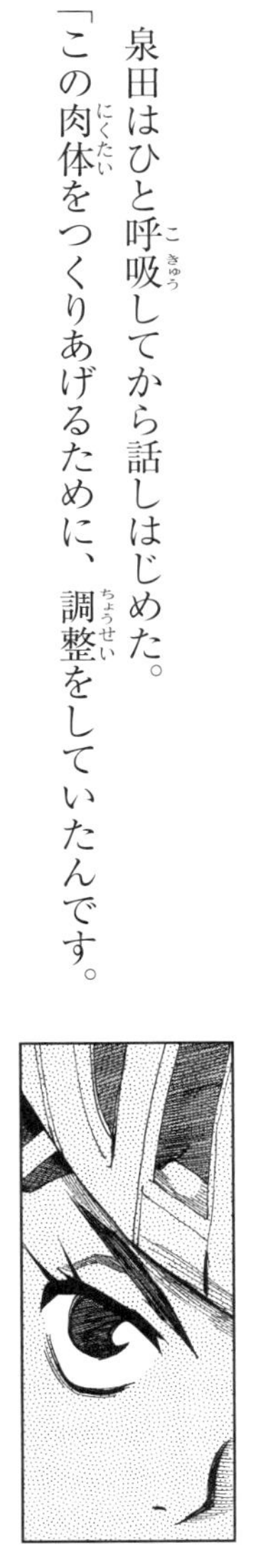

絶好調のピークをこのインターハイに持ってくるためにね。休み中に十分に栄養をとり、春先からじょじょにしぼって肉体のピークをこの夏に合わせる。それぐらい長い時間をかけて体のしぼりこみをやっていたんです。だから、春のレースや予選ではたいした成績は出ていない………。ブクブクについたしぼうがじょじょにとれていくんですよ。筋肉が底からうぶ声をあげて、しぼうをおし上げるんです!! たのしいですよ。体の感覚がどんどんとぎすまされて、軽くなっていくんです………」

そこまでうっとりと話すと、泉田はついに体をまるめて下ハンドルをにぎった。話はとまらない。

「自分が筋肉のヤリと化すんです。ムダをはぶいて、しぼって、けずって、みがいて、ボク自身が筋肉になるんですよ!!」

泉田(いずみだ)の目はらんらんとかがやき、背中(せなか)の筋肉(きんにく)はモリッモリと、
太ももやふくらはぎがパンパンッと音をたててふくらんでいくように見えた。

ぞっ！

田所と鳴子(なるこ)は泉田になにかのスイッチが入ったことに気がついた。まるで、さなぎから
ちょうへと脱皮(だっぴ)しているようだ。

「あかん、こいつ、本気で来る!!」
鳴子(なるこ)はあせった。

ガァーーーーーーーーーーーーアッ

ドン!!!

泉田がとび出した。筋肉がなみうって、だんがんのようにスパートした。


「あかん速い‼」

鳴子は取りのこされた。

「ゼロから一気に加速だと‼」

田所もどぎもをぬかれた。


「このまま独走して取る気か、リザルト‼」

「やらせへんわ‼」

「やらせねーよ‼」

時間にしてゼロコンマ数秒おくれで、田所と鳴子がスパート。

泉田を追う。

ぶっとばしはじめた泉田はわらいながら、ひとり言をブツブツ言っている。

アブ　アブ　アブ　アブ　アブ　アブ　アブ　アブ‼

腹筋のことを英語でアブドミナル・マッスルという。通称はアブス。

腹筋、腹筋、腹筋、腹筋、腹筋、腹筋、腹筋、腹筋‼

泉田は「腹筋、腹筋」と言いながら、ペダルをこいでいるのだ。

少しうしろを行く二人は全速力でとばしているのに、追いつかない。

「オッサン、本気でペダルを回したほうがエエんとちゃいますか」

「そりゃあ、おめーのほうだろ‼」

鳴子と田所はあせりはじめた。

泉田は口だけじゃなかった。

泉田のほうが速いのだ。

あせる二人に追いうちをかけるように、泉田はふり返って、すて台詞(ぜりふ)をはなった。

「そうだ、さっきのしつもんで一つ答えわすれていましたね。しめますよ、ジッパー。本気のときはね」

田所と鳴子はグググッとおく歯をかんだ。

「でも今回はしめなくてもいけそうだ」

泉田はそう言いのこして先へ行った。

アブ　アブ　アブ　アブ　アブ　アブ　アブ　アブ　アブ　アブ!!

泉田がさけびながら、下ハンドルで、しりを高くあげた美しいフォームで、田所と鳴子を引きはなしていく。

くそぉ、差が…………ちぢまねェ!!
田所と鳴子は必死の形相で追いかけるが、
追いつけない。

オラオラオラオラオラオラオラーーーーー!!

おるぁああああああああああああああ!!


「くそ…………ホンマもんやでこいつ!!

まだ加速しよる!!」と鳴子。

「泉田…………。計測ポイントまで、あと千八百…………千七百」と田所もあせる。

「やばい、箱根学園の5番、こいつ、たんなるマツ毛やないで!」

二人はゼッケン5を前に絶望的になりそうだった。

後方集団の金城

「おい、金城ォ、お客さんだぜ?」

箱根学園の主将、福富が金城の真横にピタリとならんできた。金城に話があるようで、先頭のほうからわざわざ下がってきたのだ。

箱根学園三年エース……福富だぁぁ。

まわりがどよめいた。

「ひさしぶりだな、金城!!」

金城はチラッと横目で見ると、

「…………ああ!!」とだけ答えた。

優勝候補の箱根学園の主将と、打倒ハコガク一番手の総北の主将がならんでこぐ。

あのトラブルから一年だ。みんなは息をのんだ。

坂道も「あ！」とおどろいて、巻島に聞いた。

「あ………あ、以前、去年のインターハイであのトラブルがあった、あれですか？」

巻島はうなずいた。

坂道が巻島から聞いた話はこうだ。
去年のこのインターハイで、金城と福富のトップあらそいがあった。
そのとき、前に出た金城のジャージを福富がつかんで、ころばせた。反則技だ。二人とも落車し、金城はろっ骨骨折の大けがをした。
この一瞬で、総北高校のレースはだいなしになったが、箱根学園は一位から三位までを独占した。

骨を折りながらも六十七位でゴールした金城のガッツは、高校自転車競技ファンならだれもが知っている伝説だ。

「金城………」

福富は金城に話しかけた。

「すべてがはじまる前に、おまえに言っておかなければならないことがあって来た」

それを聞いて、金城ははじめて顔をあげて福富の目を見た。

福富はナイフのようなするどい目で、金城に力強く宣言した。

「オレは………強い!!」

金城はひるむことなく、強い目で福富を見つめ返した。

「なんだ！　ハコガクの宣戦布告※!?」

まわりがざわつく中、福富はつづけた。

※宣戦布告…戦い開始を告げること

「オレは去年、自分が強いということにおぼれ、おごり、慢心しておまえに敗北し、そして、やってはならないことをした」

車輪が回るシャーーという音だけがやけに大きくひびいて聞こえたが、福富の声は坂道にも聞こえてきた。

「くやんだ。はじた。取り返しのつかないことをしたのだと思った。その罪ほろぼしをいくらおまえの前でしたところで………金城、おまえの言ったとおりだ、〝レースの順位、リザルトは変わらない〟。だから、オレは一年まった。オレはたたかうことでしか、なにもできない。このインターハイの道の上で勝負することのほかに、オレはおまえへの罪ほろぼしをする手段はないと思っている。だから、オレは最強のメンバーを集めた。

オレはな……、金城よ!!

最強のチームで、全力で、おまえをたおす!! たたきつぶす!!

おまえがどんなにくい下がろうとも、オレはぜったいに負けない!!

それがおまえへの罪ほろぼしだ‼」

福富の話が終わったところで、金城はバァンと福富の背中をたたいた。

「オレも負けんさ。どこにも負けないチームを作ったからな」

と、自信満々でそう言った。

「まずは、最初のリザルトを取る。うちからは二人のスプリンターを出した‼」

金城は、ぜったいに最初の計測ポイントの一位を取りたいのだ。そのために二人のスプリンターを走らせる作戦に出た。

しかし、福富は顔色すら変えなかった。

「二人か……ならば、たりんかもしれんな。ざんねんだが、金城よ、うちの泉田はちょっと、とくしゅなスプリンターでな。このインターハイだけに目標をさだめて、体力と精神力を極限まで追いこんでいる。なみの練習をしてきた人間には、ヤツのスプリントは止められない‼」

なんだって⁉

坂道は、背筋がツーッと寒くなった。

最強の敵、泉田

アブ　アブ　アブ　アブ　アブ　アブ

レースの先頭を、泉田は軽快にとばしている。

ハア、ハア、ハア、ハア、ハア、ハア、ハア、ハア、ハア、
ハア、ハア、ハア、ハア、ハア、ハア、ハア、ハア、ハア

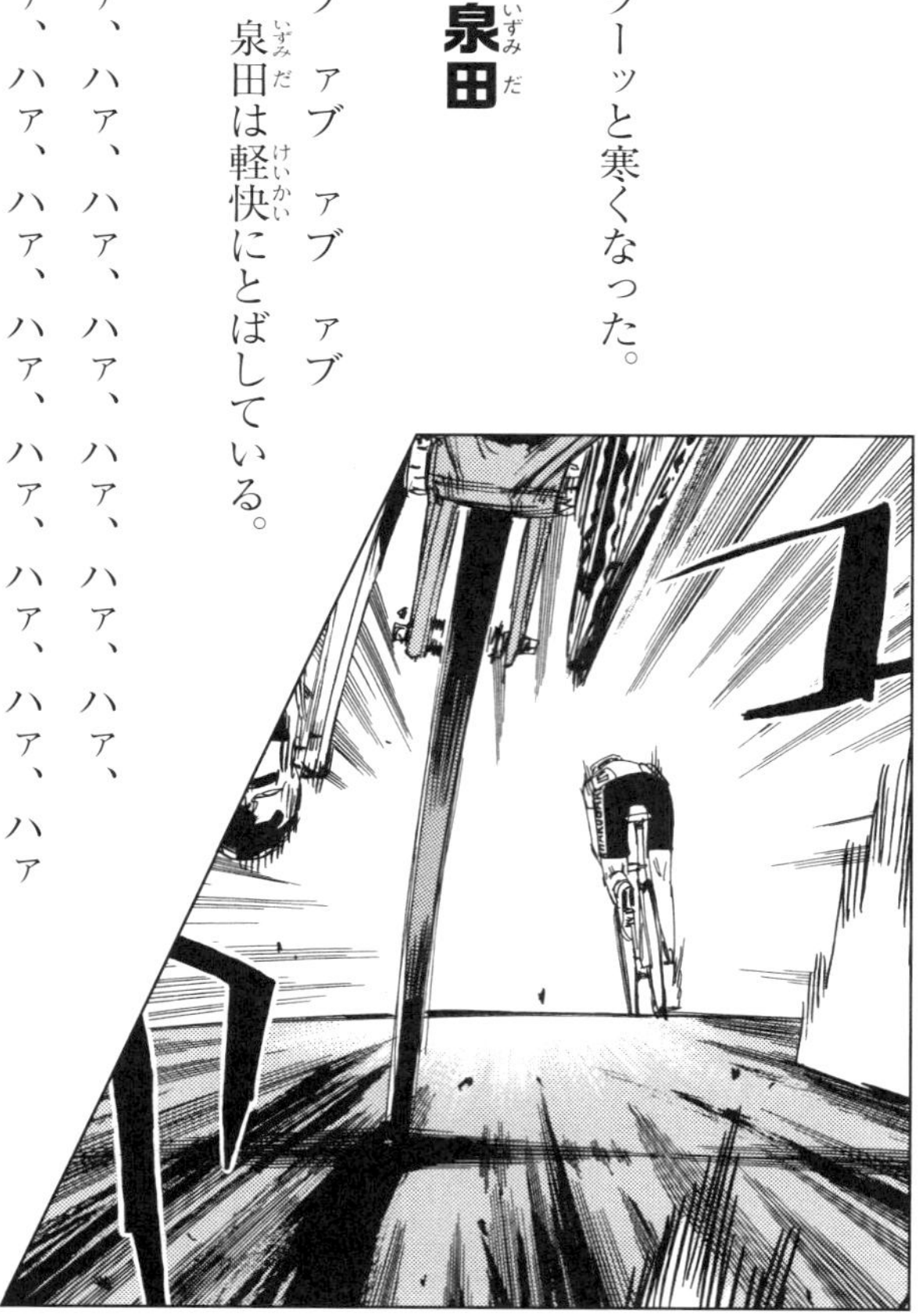

田所と鳴子はだんだんと息づかいがあらくなってきた。差は少しもつまらない。泉田のハイペースについていくのがやっとだ。

「お二人にしつもんがあるんですけど！」

とつぜん、前を行く泉田がふり返った。あいかわらず、レーシングジャージのジッパーは全開だ。

「なぜ、二人いるのに助けあわないんですか？　一人が風よけになればいいのに。自転車競技の初歩のセオリーですよ。そうして、早めにボクをおさえておくべきだったんですよ。計測ポイントまでのこり一キロになる前にね！」

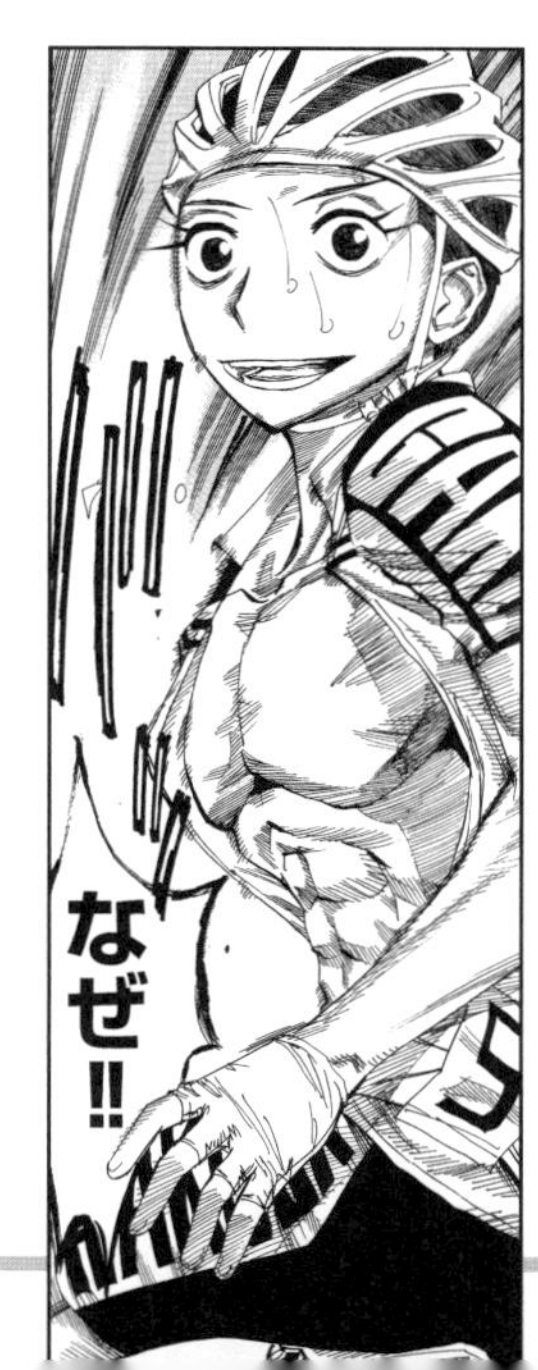

三人は「計測ポイントまであと一キロ」のかんばんをすぎた。

泉田は話をつづけた。

「ここから先は条件が変わりますよ。防風林がなくなります!! 強風区間ですよ!!」

コースの右手は町、左手は海だ。海からの風がビュービューとふきつけてくる。

とたんに、泉田のはだけたジャージがこわれたタコみたいにバサバサと音をたてた。

「ほらね。だからこの強風区間がはじまる前に、二人で協力して、ぼくに追いついておかねばいけなかったんですよ」

にくたらしくて、鳴子はおく歯をぎゅっとかんだ。

田所は、泉田をにらみつけた。

さらに、たたみかけるように、泉田はわらいながら言った。

「もうボクとの差をつめるのは相当にむずかしい!! それともなにか作戦はありますか？

「かくし玉はありますか？」

田所と鳴子はたがいの顔を見やって苦しまぎれに声をあわせて言った。

「……………かくし玉ぁ⁉……………ないねェ」

泉田の筋肉がもりもりと音をたててもりあがる。そして、勝ちほこったように言った。

「そうですか……では、あえて言いましょう。あなたがたはスプリンター失格だ‼」

そう言うと、腹筋を大きく動かし、その瞬発力で泉田はスパートした。

「マジかい！　まだ加速しよる‼」

鳴子がすぐさまさけんだ。

「風をものともしねぇで進んでいく‼

あいつの背筋は、まるでバネか‼」

前を行く泉田(いずみだ)にはその言葉(ことば)がとどいていなかった。

体が動いて、ぶっとばせる。

そう、ボクの背筋(はいきん)はバネ!!

腹筋(ふっきん)はショックアブソーバー!!※

自転車は足で回すもんじゃないんだよ。

足の筋肉(きんにく)をささえる根幹(こんかん)の筋肉が大事なんだ。

もっとも重要(じゅうよう)なのは、けり出す根元(ねもと)の筋肉!!

肉体(にくたい)の核(コア)!! 背筋と腹筋(バックアンドアブドミナルマッスル)!!

ボクはそれをかんぺきなまでにたたきあげているんですよ!

アブ　アブ　アブ　アブ　アブ　アブ　アブ　アブ　アブ　アブ　アブ!!

もりもりぃぃと体じゅうの筋肉が動く泉田は、筋肉のかたまりと化した。

スピードはどんどんあがるばかりだ。

泉田はえみをうかべて計測ポイントを一直線に目指した。

「のこり八百、切りましたよ、オッサン」

「わかってるよ!!」

おるあああああ
オラオラオラ
二人は渾身の力でおいかける。

「なのに、少しずつ……少しずつやけどはなされてる!!」

鳴子はあせってきた。

※ショックアブソーバー
…しょうげきを吸収するそうち

田所がさけんだ。

「オラァッ‼　なにか出せ‼　赤頭(あかあたま)ぁ‼　なにか逆転(ぎゃくてん)のアイデアを出せよ‼」

「ないっていうとるでしょぉぉぉぉぉぉ」

「こいつはマジでやばくなってきた」

がなりあう二人をうしろに見ながら、一人、前を行く泉田(いずみだ)はほくそえんだ。

「あの二人、意地(いじ)かプライドか、チームなのに協力しない。バカげている‼　このごにおよんでもまだ並走(へいそう)している‼　フール※だ‼　かくし玉があるかと思えば、それもない‼

本当に失格(しっかく)だな………！

ふふふ。

おっとまずい、わらうのは、結果(けっか)が出てからだ。

わらうのは今はまだ早い‼

※フール…英語で「おろか者」のこと

獲物をねらうハンターは一点のゆだんもなく、
矢のように走る‼
わらうのは、……計測ポイントまでのこり七百メートル‼　これを走り切ってからだ。
しぼって、きたえて、みがきあげて、来た‼　ついに………‼
インターハイのファーストリザルト。もっともインパクトのあるリザルト。
泉田塔一郎の名前が全国に広まる瞬間‼　〝最強最速のスプリンター〟として‼」

よゆうでうしろをふりむいて、泉田はつぶやいた。
「すてればよかったんです。つまらない意地をすてれば、ゴール前、
少しはボクにからめたかもしれなかったのに………」

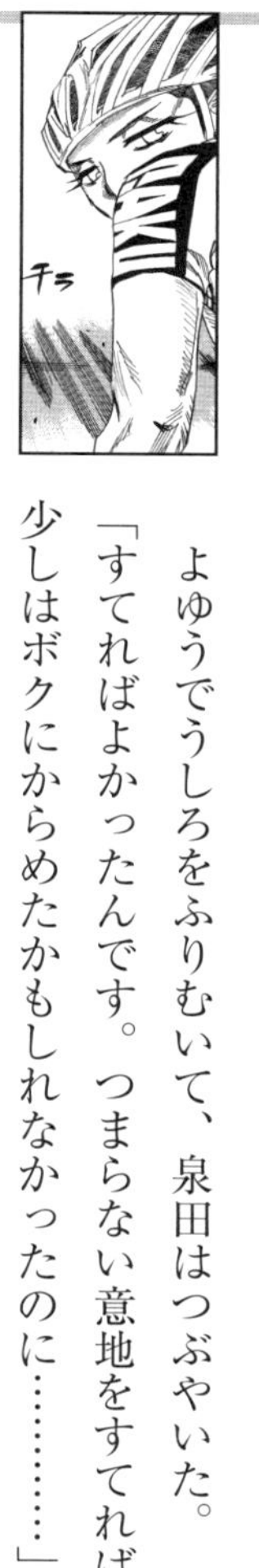

絶対絶命

総北高校の二人のスプリンターは絶体絶命だ。

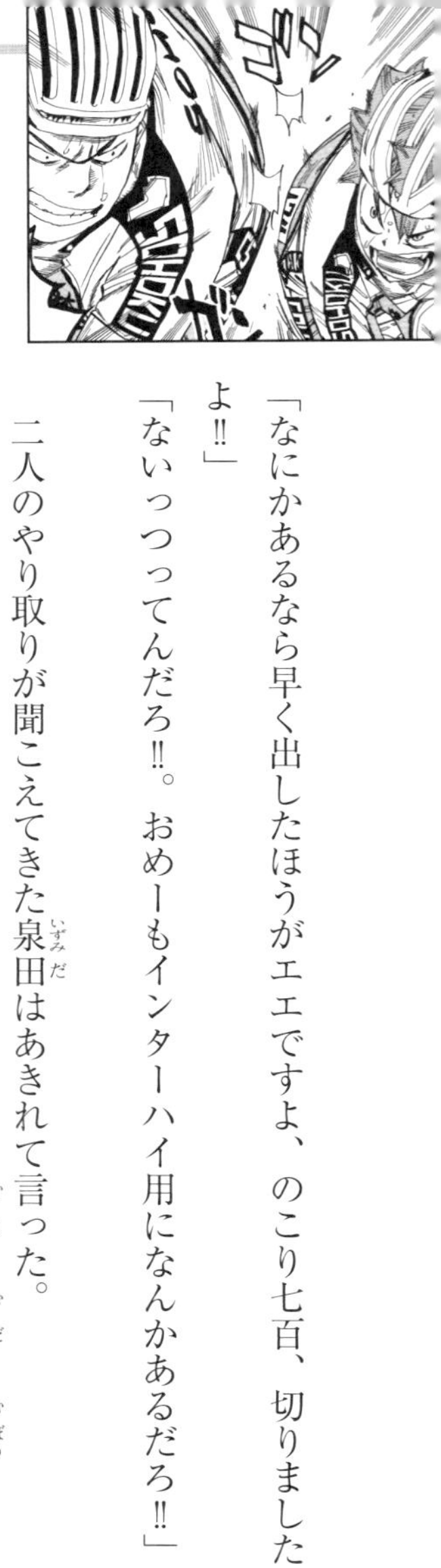

「なにかあるなら早く出したほうがエエですよ、のこり七百、切りましたよ‼」

「ないっつってんだろ‼。おめーもインターハイ用になんかあるだろ‼」

二人のやり取りが聞こえてきた泉田はあきれて言った。

「じゅんびしてないからですよ、インターハイだというのに……無理、無駄、無謀……！ボクの一番、キライな言葉ですよ‼」

「秘策は、ねエ………けど」と田所が言うと、

「ワイもないスけど」と鳴子が言った。

そして二人で声を合わせて、

「負けるのは、もっとない‼」

そう言って、田所はチューブからごくごくと栄養ゼリーを流しこみ、最後の補給をした。

「しゃあないわ、先輩。これから七百メートルの間でおこったことは、見なかったことにしてもらえます？」

と言うと、鳴子はドリンクボトルを車体のホルダーからぬいて、ポイッと道ばたにすてた。


それを見た田所が言った。

「おいおい、必殺ワザはなかったんじゃないのか。ボトルをすてて軽量化か？」

「せやから見んといてって言うてますやろ。先輩にだけは見せたくなかったんですから」

そう鳴子は言うと、ジャージをパンツの中にたくしこんで、パンツをむねのところまで引き上げた。

「〝強風区間〟いうたか、マツ毛くん…………!!

ええやないか、ワイ、風、大好きや!!　なにわのスピードマンは風と友だちなんや。

とことんまで空気抵抗をへらして、軽くして、ゴールまで一気に!! 一直線!!
見さらせ、こいつが〝スピードマン鳴子〟あらため、〝ロケットマン鳴子〟、
風を切りさいて進む、ロケットスプリントスタイルや!!!」

おるああああああああ

鳴子はさけびながら、下ハンドルのしりあげフォームで猛然とこぎはじめた。
のこりは七百メートル。

来た!!

泉田はさっきまでとはふんいきが変わったことに気がついた。

鳴子はもう、なりふりかまわす、ビュンビュンととばす。
「りくつなんかいらん、ほしいのは〝最速派手〟や!!」

びくんと泉田の右の大胸筋がふるえた。

「どうしたアンディ……そうか、アンディも今までにない相手だと言っている……!!」

なんたることか、泉田は自分の筋肉に名前をつけていたのだ。

「いいでしょう、本気の本気を出しましょう」

そのときに左の大胸筋も、びくんとふるえた。

「フランク、どうしたんだ。フランクも反応している。まさか!」

泉田より早く、泉田の〝筋肉〟がセンサーのように反応したのだ。

泉田はおそるおそるふり返った。

総北二人目、田所にも、なにかあるのか!!

田所も動いた。

「しょうがねェな……一年の鳴子？　二年の泉田？　そんなやつらにファーストリザルトを取られたとあっちゃあ、三年生のメンツがたたねぇ。おいしいところを取られてたまるかよ。しょうがねぇ、これは、最後まで取っておきたかったんだがな、コレは……‼」

田所は、そういうと息をすいはじめた。

ズゥゥゥゥウウウーー
もりもりもりもりッ
泉田はおどろいた。

田所は言った。

「オレの巨体を、たんなる風よけだと思うなよ。この胸板のあつみは、骨と筋肉、そして、巨大な肺だ！」

思い切り息をすったために、肺がふくらんでいる。ジャージのジッパーがはじけとびそうなくらいパンパンになっている。

「さんそーーーーーーーーーー!!」

さけぶと、スパートした。

さんそ？　酸素？

え、あれはふつうじゃない！

泉田のアンディとフランクがびくんびくんと反応した。

田所はここ一番でちょうしがあがってきた。

「ふつうの人間だと肺に入る空気の量は三千〜四千五百cc。オレの肺活量は八千五百!!
スポーツで筋肉を動かすときにひつようなのは、十分なエネルギーと、十分な酸素だ!!
血管を通って運ばれたエネルギーは、酸素があってはじめてもえる。力に変わるんだ!!」

そうさけびながら、田所はグルングルンとペダルをこぎはじめた。

「食べ物やドリンクで、エネルギーは口からいくらでも取れるが、肺はそうはいかねぇ。
だから、アスリートは肺をきたえる。口から入れたエネルギーをオレは完全燃焼させる!!
どうだ、こいつが、田所必殺、酸素音速肉弾頭だ!!!
さーーーーーーーーー
んーーーーーーーーーーーー
そーーーーーーーーーーーーーーーーーー」

一気に速度があがった。

「負けるか‼　おもろい！　おもろいで、オッサン‼」

鳴子がさけんだ。

泉田はうしろから追ってくる二台が、急にペースアップしたことに気づいた。

「すいませんでした。ボクはあなたがたを過小評価してしまっていた。スプリンター失格だと言ったのは早とちりでした。〝無策で無謀〟……、そんなことはなかった。あなたたちはすばらしいスプリンターでした‼　すいませんでした」

その横を田所と鳴子の二台があっという間にぶちぬいていった。

なのに泉田はあわてない。

「敬服しますよ、お二人の意地と実力に。だからのこり四百メートル。本気でいきます」

そう言うと、ジッパーに手をかけて、はだけていたジャージの前をついに、しめた。

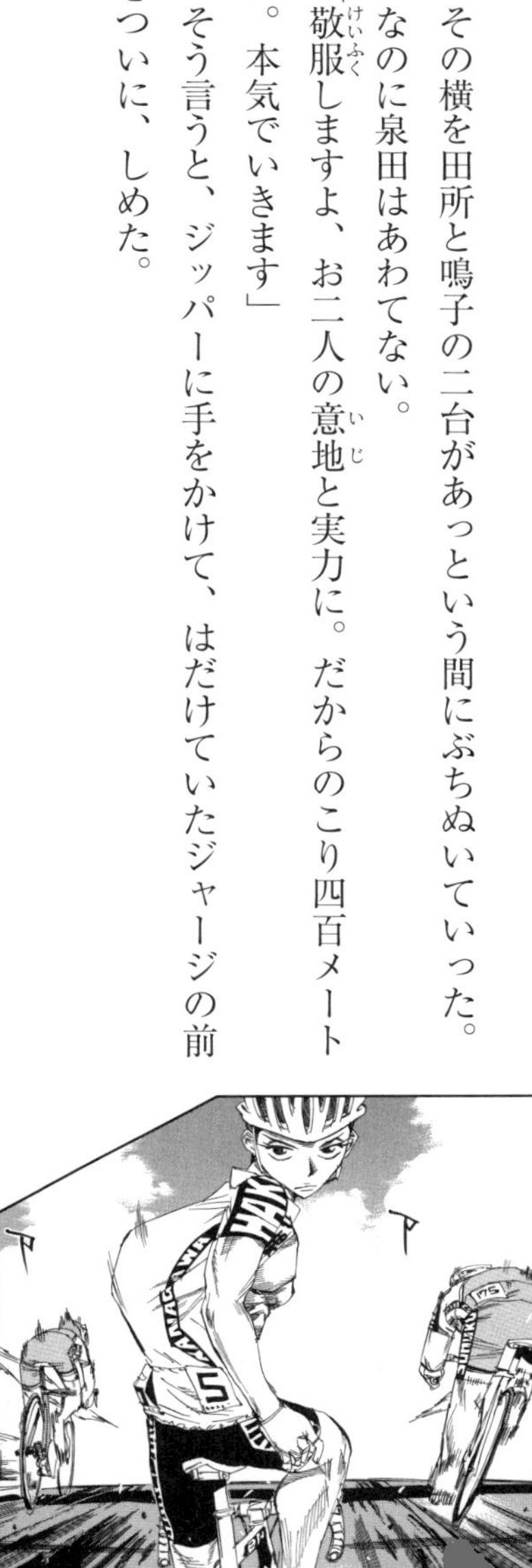

「さぁ、仕事だ、アンディ…フランク…やろうか」
そして、泉田（いずみだ）がジッパーをしめた。
アブ　アブ　アブ　アブ　アブ　アブ　アブ　アブ　アブ‼

筋肉（きんにく）に話しかけると、猛烈（もうれつ）な回転数（かいてんすう）でペダルをこぎはじめた。

「ふふふ、右大胸筋（みぎだいきょうきん）のアンディは攻撃的（こうげきてき）、左大胸筋のフランクは慎重派（しんちょうは）。筋肉トレーニングで平等（びょうどう）に育てたはずなのに、こんなにも性格（せいかく）がちがうなんて。今なら、意のままに走れる！」

泉田はまたたく間に、二人に追いついて、田所と鳴子（なるこ）の間にズバッと自分の自転車をねじこんだ。

そして、スゥーッとぬいていった。

鳴子は横を走る田所に聞いた。

「ついにジッパーをあげた。力はあいつが少し上かい。のこるは……気持ちで勝つしかない。オッサン、どちらかが風よけになって力を温存していきますか？」

「バカ言え！　オメーもオレの敵だろ。なんで協力しなきゃならねえ？」

それを聞いて、鳴子はうれしくなった。

「カッカッカ、やっぱそうですか。気持ち、たしかめました！　そしたら………とりあえず、目の前のこいつをおさえましょうか」

力まかせにペダルをふむと、またしても泉田、田所、鳴子の三台がならんだ。


トップあらそいは、あと三百メートルをのこすのみ。


ならばれた泉田は静かにこう言った。

「スプリンターはヤリです。ボクがするどく、みがきぬかれた長いヤリだとしたら、あなたがたは、よごれた短いヤリだ。

がむしゃらでつめがあまい。目標に先にとどくのは、ざんねんながらボクです‼」

田所は言った。

「気に入らねえなあ、その話。オレは………鉄板をブチぬくヘビー級のヤリだ」

すると鳴子も負けずにさけんだ。

「ワイは、真紅のドはでなヤリやろ‼」

それを聞いた泉田は、くすっとわらって、すうーっと二人を引きはなした。

田所がおどろいた。

「まだ、足があるのか！」

ハア、ハア、ハア、ハア、ハア、ハア、ハア、ハア、ハア、ハア
ハア、ハア、ハア、ハア、ハア、ハア、ハア、ハア、ハア、ハア
田所と鳴子はいっぺんに息づかいがあらくなった。

アブ　アブ　アブ　アブ　アブ　アブ　アブ　アブ　アブ　アブ　アブ‼
泉田の声が少しずつ遠くなっていく。ゼッケン5がひらひらと小さくなっていく。

その背中を見ながら、田所が口を開いた。

「おい、赤頭」

「なんスカ！」

「おまえ、一年生ウエルカムレースで今泉に負けただろ」

「急になんの話っスカ！」

「あのとき以外に、負けたことはあるのか？」

鳴子は、今はそれどころじゃないだろ、と横目で田所をにらんだ。

「はぁああ？　ここでよくそんなことを聞きますね」

鳴子は言い返したが、田所は、意味ありげに言った。

「この局面だから聞くんだよ」

「答えませんよ！　いやです！」

「答えろよ！」

なんで負けそうになっているときに、負けた思い出の話をしなきゃならないのか、鳴子はわからなかった。

「ふつうは何回優勝したかって、そっちを聞くでしょう。負けの数じゃなくて！」

「いいから言ってみろ」

「いやです！」

「いいから言え!!」

田所はしつこかった。

ペダルをこぐ足はそのままに、鳴子は負けた話をはじめた。

「そりゃあ、ありますよ。ワイは人一倍（ひといちばい）、体が小さかったから、人の倍は努力せんといかんかったから」

「ガハハ」

「あ！　感じわるいっ！　人の負けた話を聞いて、にやけよって。オッサンは一年生レースはどうやったんですか」

「ガハハハハハハハハ！　オレはな、最下位（さいかい）だ‼」

え？　初耳（はつみみ）だ！

オッサン、最下位だったの？

鳴子はおどろいて、目ん玉がとび出そうになった。

田所は話をはじめた。

「オレは一年のときに、部をやめようとしたことがあるんだ」

弱かった田所

「オレ、自転車部、やめます」

「どうしたんだ、退部届なんかもってきて」


それは二年前のことだった――――。

自転車競技部の部室。直立不動できんちょうして立っているのは、まだういういしい田所。ボテッとした体つきだが、今ほどはまだ大きくない。

つくえの上に出された紙は、退部届で「1年3組 田所迅」と名前が書いてある。

おかしをくわえたまま、その紙を見ているのは主将の寒咲通司だ。

今は、寒咲自転車店の店主で、総北高校自転車競技部のOBとしてなにかとバックアップしているかれは、田所が一年のとき三年で、主将だった。となりにはピエールかんとくもすわっていた。

通司は顔をあげて、リラックスしたかんじで言った。

「話があるっつーのはこのことか。そう思いつめた顔をしないで、もうちょいやればぁ？」

「いえ、もう決めましたから」

田所はまなじりを決して言った。

それを見てピエールかんとくがやさしい声で言った。

「どうしてデスか、タドコロくん。自転車のことがキライにナリマシタか？」

「……………そんなことはないです。……でも……………」

田所はうつむいた。そして声をしぼり出した。

「たのしいです。でも、たのしいだけじゃ………やっていけない。

オレは勝ちたいんです」

そう言うと、ぎゅっとこぶしをにぎりしめた。そして、小さな声で話しはじめた。

「一年生のウエルカムレース……最下位(さいかい)でした。中学から自転車競技をやっていたのに、

初心者のヤツにも負けました。四日間のじごくの合宿は二日目でリタイアしました」

田所のひたいには、あせがべっとりとうかんでいた。

「オレ、………坂が登れないんです……骨がふとくて、体が重くて、坂を登るのに体がじゃまなんです。登れないと、レースで勝てない……もうせいいっぱいやりました。減量しても力は出ないし、だから…………」

「たーどーこーろー!!!」

通司が話をさえぎった。

立ち上がって、田所の頭をくしゃくしゃっとさわった。

そして、一喝した。

「勝ちてぇなら、やれ！　負けていいならやめろ。勝ちてぇのにやめる、そんな選択肢はねぇ!!」

田所はその迫力にひるんだ。

通司はさらに大きな声で田所に話した。

「おめーの得意はスプリントだろう。だったらそいつをきわめろ。天下をとれ!!　一つきわめりゃ、登りなんざ、あとからどうにでもなる!!」


そのはげましのおかげで、田所は部活をやめなかった。


しかし、それからの練習はきびしかった。

ピエールかんとくが運転する自動車と並走しながら、スプリンターにひつような最高速をのばす練習を重ねた。助手席から、体をのり出した通司がメガホンでどなった。

「もっとだもっと!!　ふめふめふめ!!」

ハッ、ハッ、ハッ、ハッ、ハッ、ハッ、ハッ、ハッ、ハッ

「もぉーー、ムリっスーーーーー、限界っスーーーーーーーー」

ハッ、ハッ、ハッ、ハッ、ハッ、ハッ、ハッ、ハッ、ハッ

「限界かどうかは、おめェの心が決めろ。決めるのは心だ。ハートだ。どんな相手にも、ハートではぜったいに負けるなーーーーー」

それを聞いた田所は、負けそうになる心をふるいたたせようと、心臓のあたりをこぶしでドンドンとたたいてみた。それは自分で自分をおうえんするかのようだった。

何回かたたくうちに、だんだんやれる気になってきた。

「よーし、引けーーー、引け引け、ハンドルを引くんだ。前輪がうくらいにハンドルを引け！」

「はいっ‼」

「そして、前輪がうかないように、全体重を前輪にのっけろーー」

通司は、スプリントの走り方を教えてくれた。

「そうだーー、田所ぉーーー、いいぞーーー、速いぞー、速くなったぞーーー」
通司はメガホンでさけびつづけた。田所は夢中でペダルをふみまくった。
運転していたピエールかんとくが言った。

「カレは、ふっきれたヨウデスネ」

通司は答えた。

「スプリンターはあれくらい単純でまっすぐなほうがいいんですよ。それと、あいつはもともと根性がありますからね」

ピエールかんとくがたずねた。

「カレはいいスプリンターになりソウデスカ？」

「どうですかね。練習次第ですね。……なるんじゃないスかね。オレが教えていますから。

オレの意志をついじゃったりして」

通司は田所へのきたいを口にした。

「あいつはつぎのレースでも負けるでしょう。これから先、何回も負けるでしょう。けど、負けをくってでも前に出る。……そうして、初勝利を手にしたときに見える風景が変わるんです。だから、よごれても、たおれても、ゴールをねらう。負けを知らないスプリンターは、絶対に強くならないんです」

そのころ寒咲自転車店の車は計測ポイントに向かっていた。
通司はおかしをくわえ、車のハンドルをにぎり、アクセルをふんでいた。
「見えましたよ！　寒咲さん」
助手席のまどからのり出した手嶋がさけんだ。

「まだ計測ポイントのリザルトライン手前です！　先頭は……三台がならんでいます‼」

「よっし！」と通司は答えた。

「田所さんと、鳴子くん、そして、トップは…トップはハコガクの5番です！」と手嶋が言った。

「おおおおおお！」

車内で歓声があがった。

「がんばって、田所先輩、鳴子くん！」

ミキがぎゅうっと手をにぎりしめて、体を座席からのり出した。

負けてきた鳴子

オッサンには、そんな過去があったのか……知らんかったわ。

鳴子はおどろきながら、ペダルをふみつづけた。

横で田所がなにやらひとり言を言ったので、鳴子は耳をすました。

「泉田ぁ、まてよ。負けねぇぞ。オレのことをよごれたヤリって言ったか、上等だぁ、よごれてるってことは、たたかってきたってことだろ‼」

鳴子はそれを聞いてむねが熱くなった。

そして、田所が鳴子に向かってさけんだ。

「行くぞ、鳴子‼　引け‼　ハンドルを引け！　引け引け！」

「はいな！　田所さん」

「オレたちは速い！」

それを合図に総北の二台は、新しいエンジンに火が入ったように馬力を出した。

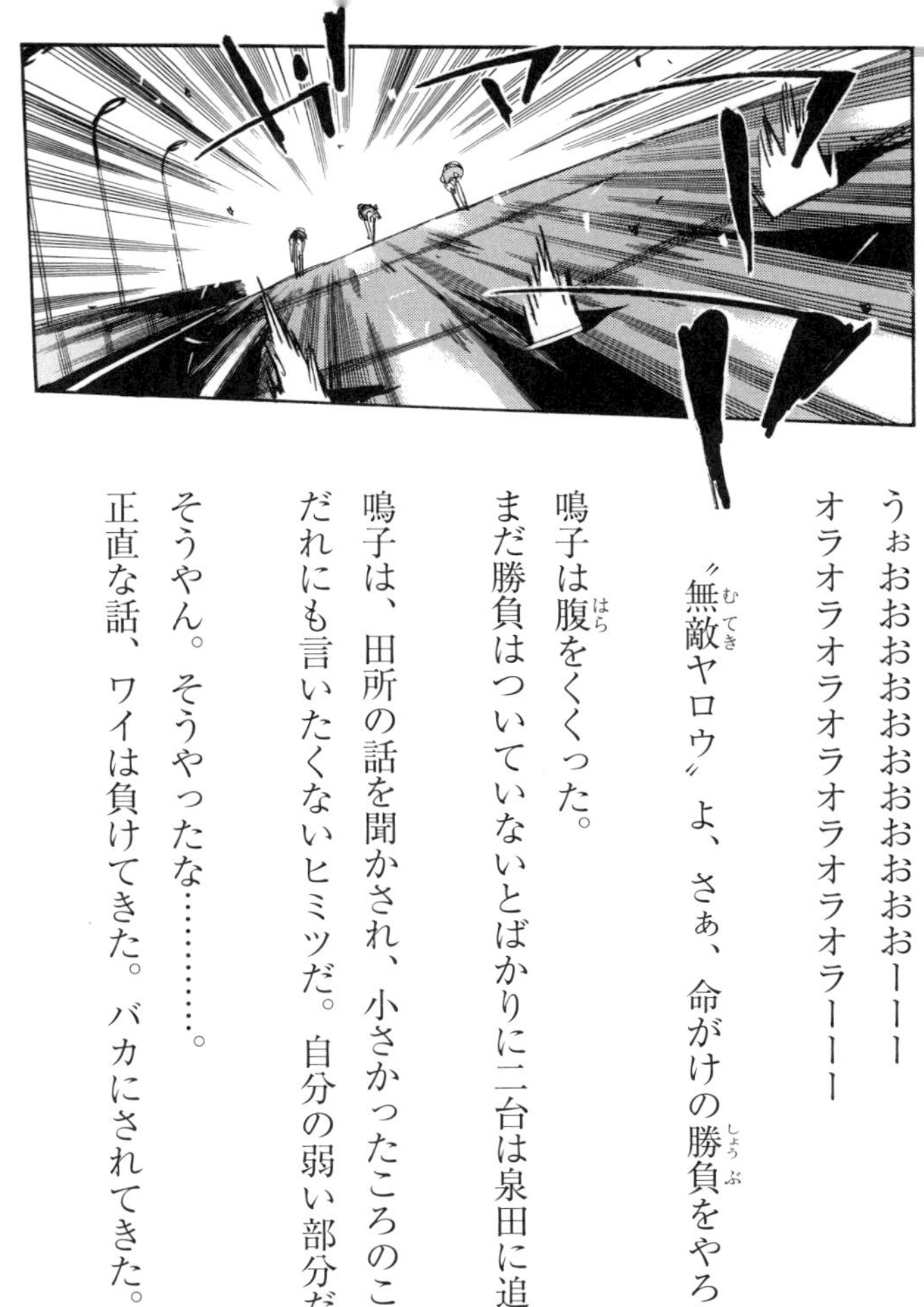

うぉおおおおおおおおおーーー
オラオラオラオラオラオラーーー
〝無敵ヤロウ〟よ、さぁ、命がけの勝負をやろか‼

鳴子は腹をくくった。
まだ勝負はついていないとばかりに二台は泉田に追いついていった。
鳴子は、田所の話を聞かされ、小さかったころのことを思い出した。
だれにも言いたくないヒミツだ。自分の弱い部分だからだ。

そうやん。そうやったな………。
正直な話、ワイは負けてきた。バカにされてきた。

小学校のときのことだ。

自転車の街、大阪は堺に生まれた鳴子は、子どものときから自転車が大好きだった。

だけど――――。


「おまえ、ほんまに身長がのびんなーーー」

「章吉、また負けたんやて？」

「おまえ、自転車に向いてへんわ、ちっちゃすぎ」


レースに負けて、なきながら帰る日。

みんながバカにしたように声をかけてきた。

とたんに、背中のデイパックがおもくかんじた。あせをすったシャツとぬれたタオル、カラになった水とう、おかあさんが持たせてくれたべんとうばこが入っている。

自転車にまたがるのもいやになって、うつむいておしながら歩いていると、おばさんが声をかけてきた。

「あれーボク、ようちえんの子？　その自転車、大きすぎちゃうの？　もっとぴったりのを買ってもらい」

「うるさいわ！　これが最小サイズや、ていうかワイ、小三や、ボケーーーーー!!」

あの日のことはわすれない。

せやから、ちかった。

絶対、強くなったる。最速になったると。

勝つためにできることはすべてやった。けど、結果はまったく出なかった。つぎのレースは、百二人中、八十三位だった。

中学生のときは友だちにかっこつけたくて、うそをついた。

「この間、ミナミのほうであった自転車のレースに出たのってほんま？」

休み時間に女子が聞いてくると、うそをついた。

「ちゃう、ちゃうで。その日は魚つりに行っていた」

「でも、そのおでこのキズって、自転車でころんだんちゃうの？」

「これは、つった魚があばれえたんや」

くやしまぎれにムチャクチャなことを言っていた。あの日のことはわすれない。

鳴子がはじめての勝利を手にするのには、初レースから五年もかかったのだった。

鳴子は、そんな悲しい思い出を、心のおくにしまってカギをかけた。思い出すたびに、体も心もちぎれそうになるくらいくやしかったからだ。

今、高校一年生になって、インターハイの本番をむかえた。

すぐ横にはあせをふりとばしながら田所が必死でペダルをふんでいる。

鳴子は心の中で田所に話しかけた。

オッサン、ワイは今まで「負け」たことは……なしってことにしてきたんすわ。
けど、もし、ホンマに――あんたの言うとおりなんやったら、
〝よごれていることが、たたかってきたこと〟ならば………。

そこまできて思いがこみあげた鳴子は、大声を出した。

「すんません、ワイ、今まで、メッチャたたかってきましたわ!!」

「それでいい!!　行くぞ、気持ちで負けんなよ!!」
田所はこちらを向くこともなくさけんだ。

「当然(とうぜん)でしょ!!」

鳴子も前を向いてさけんだ。

うるああああああああああああ

オラオラオラオラオラオラオラァッ

二人は先行する泉田(いずみだ)に一気にならびかけた。

泉田は、ようしゃなく言った。

「気持ちで勝つ？　気持ち？　そんなもの、こなごなにしてあげますよ!!」

アブアブアブアブアブアブアブアブ

「なんの！」

うるああああああああああああ

オラオラオラオラオラオラオラァッ

クライマックス

補給車の車内からはデッドヒートのようすが見えている。

手嶋が「のこり百五十メートル!! 追いついた!」とさけぶと、

「すごい、二人ともーーーー!!」

車内は大歓声だ。

「ならんでる。まだならんでる!」

その声を聞いて、ミキはもういてもたってもいられない。

「いけるんじゃないですか、総北!! 記念すべきファーストリザルトを!!」と杉元がこうふんした。

「まだまだこっからだ、行けー、一気に加速です、田所さん!!」と手嶋がせいえんを送る。

うるああああああああああああああああああああああああああ
オラオラオラオラオラオラオラオラオラオラオラオラオラァッ
アブアブアブアブアブアブアブアブアブアブアブアブアブアブ

三人のレーサーのおたけびがからまりあいながら、ますます速度がアップした。

のこり八十メートル！　ポイントラインが見えた！
あの白い線が最初の計測ポイント！

そのとき、海風がびゅわああああとふいた。

レースコースと沿道をへだてるために置かれたコーンが四つ、その風でずずずずと動いた。そして、やがて風の強さにたえきれなくなり、カラカラカラと音を立ててころがり、レースコースに入ってきた。

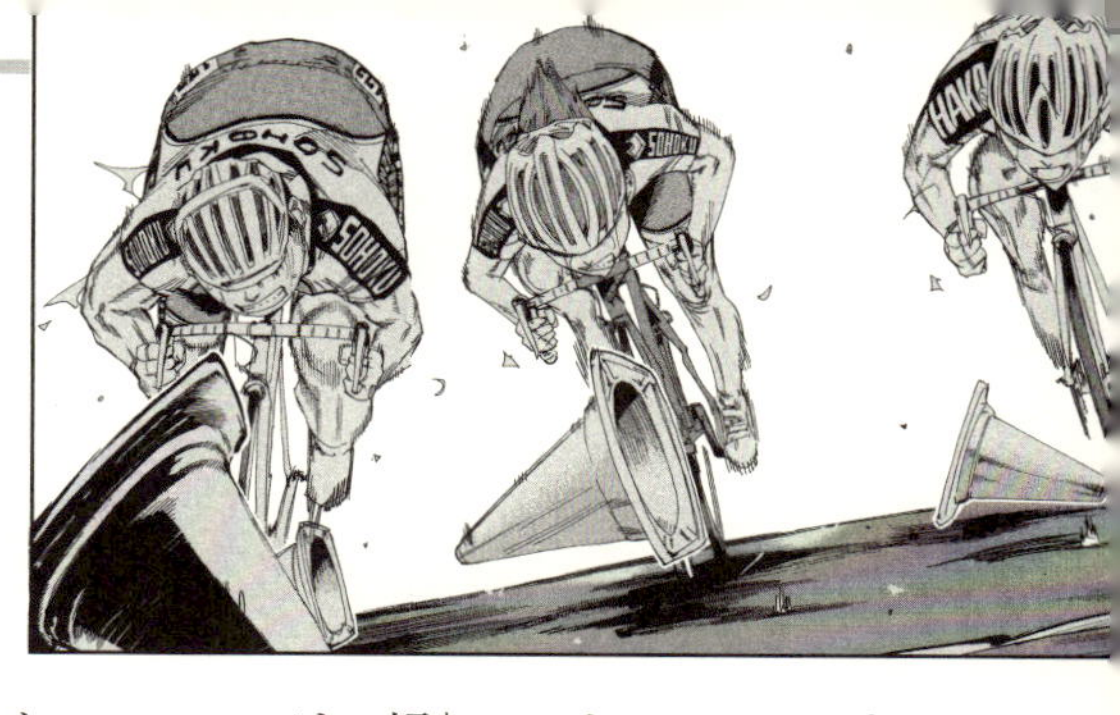

目の前にころがるコーンを見た泉田は、あぶない！　ころぶ！
と思った。

自転車のスピードは時速五十キロは出ている。前輪がコーンにあたったら落車してしまう。

泉田は、おそるべき反射神経で、軽く右レバーを引いてブレーキをかけ、後輪を横にすべらせながらコーンをよけた。間一髪、事故はまぬがれた。

泉田はなにがおこったか、頭で理解する前に、体が勝手に反応したことに気づいた。

すばらしい〝反応〟だ。

ありがとう、アンディとフランク。

泉田は自分のきたえあげた筋肉に感謝した。

イメージどおりにコーンをよけることができた。数ミリのスキマをぬって走れるほどせいかくだ。ほとんどロスすることなくよけられたなんて、かんぺきだ！

ざんねんだったね、総北高校、ボクはロスなくよけたよ。

そのとき、泉田が目にしたのは!!

顔面にコーンがぶつかりながらも自転車をこぎつづける田所と鳴子のすがただった。

「なんだって!?　よけずに……直進してる!!!」

「じゃまだ、じゃまだーーーーー」

「ワイが」

「オレが」
「一番速い!!」

総北の黄色いジャージがブルドーザーのようにコーンごと進んでいくのが、まるでスローモーションのように泉田のひとみにうつった。
沿道の歓声が「ああああああーーーーーーーー」と悲鳴に変わっていた。

ちょ、ちょ、ちょっとまってくれ！
キミたちは、落車の危険があったというのにーー
それでもまっすぐ進むというのか!!!

泉田は自分の目をうたがった。
ポイントラインはもう目の前だった。

うるああああああああああああああああ
オラオラオラオラオラオラオラオラァッ

補給車の中から、総北の補給チームが
声を出した。

「すげー、二人ともコーンをふきとばして走っていく！」と杉元。

「田所さん、行ってください！」と手嶋と青八木がいのった。

「鳴子くん！」と、ミキが思わずさけんだ。

「入る――‼」と通司がうなずいた。

ピエールかんとくが眉間にシワをよせた。

うぉお゛おおお
総北高校
自転車競技部

一本指をつきたてて、田所がポイントラインを通過した。自転車幅一台分、おくれて、二番目に鳴子の赤いマシン。それから三台分ほどおくれて、箱根学園の泉田が通過。スプリンター決戦は決着がついた。

うおおおおおおおおおおお

田所は勝利のおたけびをあげた。

泉田はまさか逆転されるなんてと目を見開いたままだ。

そして、「みがきあげた、このボクが……やぶれた……」とつぶやいた。

田所に勝てなかった鳴子は、田所のデカい背中をジッと見ている。

車内から、寒咲通司が田所の勇姿をたのもしそうに見つめていた。

第三章 山が見えた

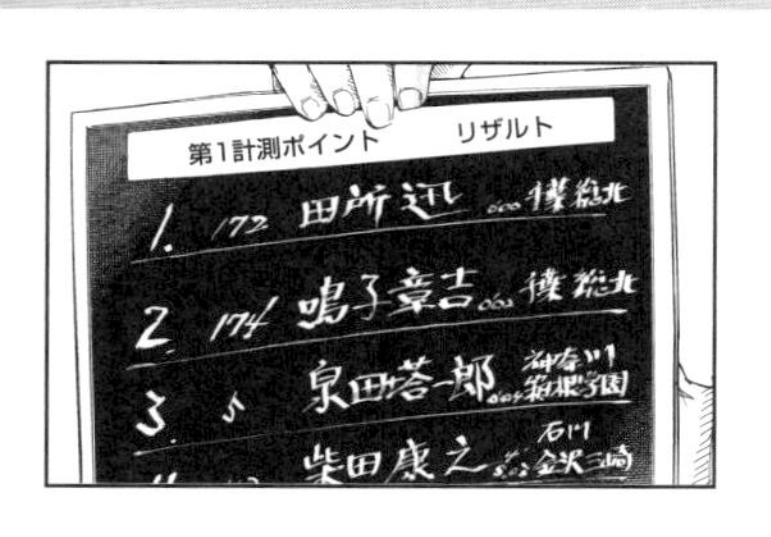

今泉が先頭に

スプリンターたちのたたかいは終わった。

うしろを走る金城や福富に、田所と鳴子、泉田のたたかいの結果は、すぐに伝わった。

「第一計測ポイントリザルト」と書かれた表示板を持った車が、後方集団に近づいた。

「どうなった？」と、選手たちがざわめいた。

1	172	田所　迅	千葉	総北
2	174	鳴子章吉	千葉	総北
3	5	泉田塔一郎	神奈川	箱根学園
4	42	柴田康之	石川	金沢三崎

おおおおお！

選手たちから、地なりのような声があがった。

「箱根学園が負けた！」

「千葉の総北……って？」

「総北のワンツーかよ」

「鳴子ってだれだ？　一年か？」

箱根学園主将の福富は一瞬、信じられないという顔をした。しかしそれを、ごまかすかのように、ごしっと顔のあせをぬぐった。

金城は顔色一つ、変えなかった。

巻島はニヤリとわらった。

今泉はおどろいた。

坂道はグッとよろこびがわきあがってくるのをかんじた。
そのとき、「動くぞ!」とだれかが言った。

その声が合図だったかのように、

「すいません、通ります」

今泉が自転車の大群の中をかきわけ、前のほうに出ようと動きはじめた。

そのあとを、金城、巻島、坂道がおくれまいとつづいた。

ロードレースは、強いチームが先頭にいて、レースを引っぱるのがならわしなのだ。

三日間の長距離レースの場合、選手たちはすべての時間、全力疾走しているわけではない。だれが一番にゴールに入る

のかが重要だとすると、最初からぶっとばしていたら、つかれてしまって最後までもたないからだ。

だから、〝勝負どころ〟がくるまでは、みんながまわりのようすを見ながらそろそろと走っているのだ。そのときに、先頭に立って、全体の走行ペースを決めているのが、〝強いチーム〟なのだ。

このレースで言えば、ここまでは、去年の王者、箱根学園が集団を先頭で引っぱってきた。ところが、〝ファーストリザルト〟を田所がとったので、先頭の座を総北にゆずることになる。

これは、ルールブックには書かれていない、自転車レースの文化なのだ。

先頭は強いチームの居場所だ。強いチームは自分たちがペースを決め、状況判断をすることができる有利な立場にいられるだけでなく、みんなから一目置かれる。

総北高校の今泉がどうどうと前に出てきた。

「すいません、通ります」

箱根学園のまうしろまで来たとき、今泉はもう一度言った。


箱根学園のメンバーはすーっと二つに分かれて道をあけた。

その間を、総北の黄色いジャージがゴゴゴゴゴーと進んでいった。


「おおおお！　集団のトップが変わるぞ」

「箱根学園が下がる。先頭が入れかわった。千葉の総北だ！」

だれかがさけんだ。

今、選手の大集団の先頭は、総北高校の今泉だ。

「今泉、どうだ、インターハイの先頭を走る気分は」

金城が話しかけた。

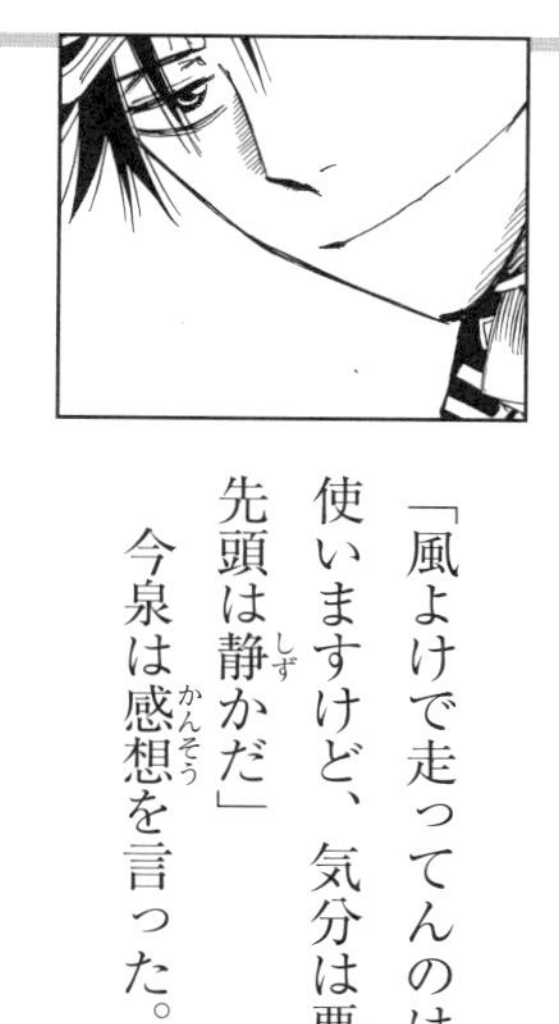

「風よけで走ってんのは体力を使いますけど、気分は悪くないス。先頭は静かだ」

今泉は感想を言った。

自転車の集団の中にいると、ホイールが回るシャ――――という独特の音が、大合唱団のようにひびいている。なれると、その音につつまれるのも気持ちよくかんじるのだが、先頭にいるとただ風を切る音しか聞こえてこない。そのことを今泉はあじわっていた。

坂道はふと思い立って、うしろをふり返ってみた。

「うひゃーーーーーーーーー。うしろに箱根学園がいますーーーていうか、ボクのうしろに百二十人の選手がいます。うわわわ、手がふるえてきたーーー」

坂道はまたしても、きんちょうとこうふんがいっしょになっている。

「さっきのところのほうが落ち着きますね！」

坂道がそう言うと、巻島が強めに言った。

「けど、ぜったいに下がんなよ。このポジションは、あいつらが必死でとってくれたポジションなんだからな」

そして、こうつづけた。

「さっきのリザルトのタイム差、見たか？　ほとんどなかった。

たぶん、あいつらスプリンターのプライドをかけて、足がちぎれるまでぶん回して、このリザルトをとったんだぜ」

鳴子(なるこ)くんが……。

坂道は鳴子のがんばりを、このはなれたところでもかんじられる気がした。

チームはみんないっしょだ。

はなれたところを走っていても、そのがんばりは、ほかのみんなに関係(かんけい)してくることを、はだでかんじた。

坂道が少し落ち着くと、巻島は満足(まんぞく)げな表情(ひょうじょう)になった。

巻島には、田所のがんばりがいたいほどよくわかっているのだ。

田所のがんばり

計測ポイントをすぎて、先頭の三台はスローダウンした。田所はまだ両手をつき上げてこいでいた。

取ったぜ、金城、巻島！

同級生に想いをはせながら、顔を流れるあせをペロリとなめた。塩の味がした。
やがて、一台の車が並走してきて、まどが開いた。

「田所さん!!　見てましたよ!　オレ!!」

手嶋がまどから体をのり出して、ガッツポーズをしていた。そのうしろで青八木がないてるのが見えた。

「なんだおまえら……来てたのかよ!!　手嶋!!　青八木!!」

田所はペダルをふみながら、ガッツポーズをやり返した。

そして、車に向かってごきげんでさけんだ。

「ガハハハ、あんくらいでなくんじゃねーよ!」

そのとき、田所は運転席の寒咲通司と目が合った。

あッ。

田所は真顔になった。

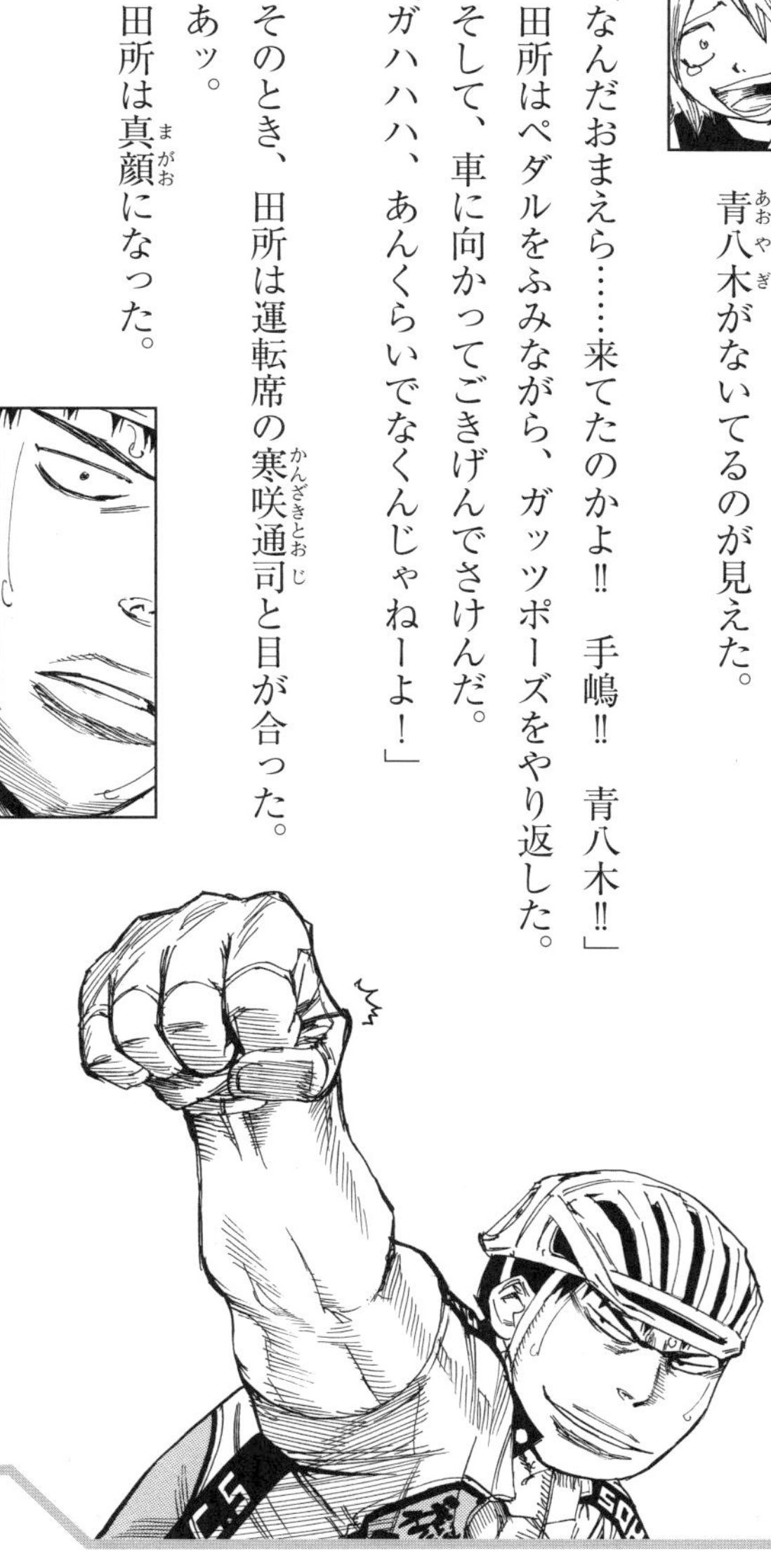

通司は田所に向かって、一本指を出して勝利を祝福した。
それを見て、田所は胸が熱くなった。
寒咲さん、ありがとうございます!!
田所は退部届をつき返された日のことを
思い出した。

「じゃあ、先に給水ポイントに行ってまってますね。もうすぐ小田原に入るわ。
その先は箱根。山岳区間よー」
ミキがさけぶと、車は走りさった。
田所のまわりにはレースの静けさがもどってきた。
そう思ったとき、田所に負けて、くやしがっている鳴子が近づいてきた。

「くそ……また、負けた……くそっ……!!」

なにやらさけびながら、水をのもうとホルダーに手を持っていったが、ボトルがない。

「ぎゃーーー、しまった、ボトル、すてたんやった。うおおーーい、まて、その車。マネージャー、のどがかわいたー、水をくれー」

田所は「おらよ」と、自分のボトルを鳴子にさし出した。

鳴子はけげんな顔をした。

「な、なんすか？」

「一本やるよ、オレはもう一本あるから。もう限界だろ？　のど……そんくらいの走りをしていたからな」

「先輩が三年やから、勝ちをゆずっただけですよ」

鳴子はへらず口で返した。

「……なに？　……やっぱ返せゴラ！」
「一回、もろたもんは返しません。のみほしたる、ごくごくごく、いただきまーす」
「あっ、よこせ。あっ、てめ———ッ」

勝利への執念

二人がワイワイとやっているのを、こぎながら見ている選手がいた。

……総北……って……。

ファーストリザルトが三位になった箱根学園の泉田だ。

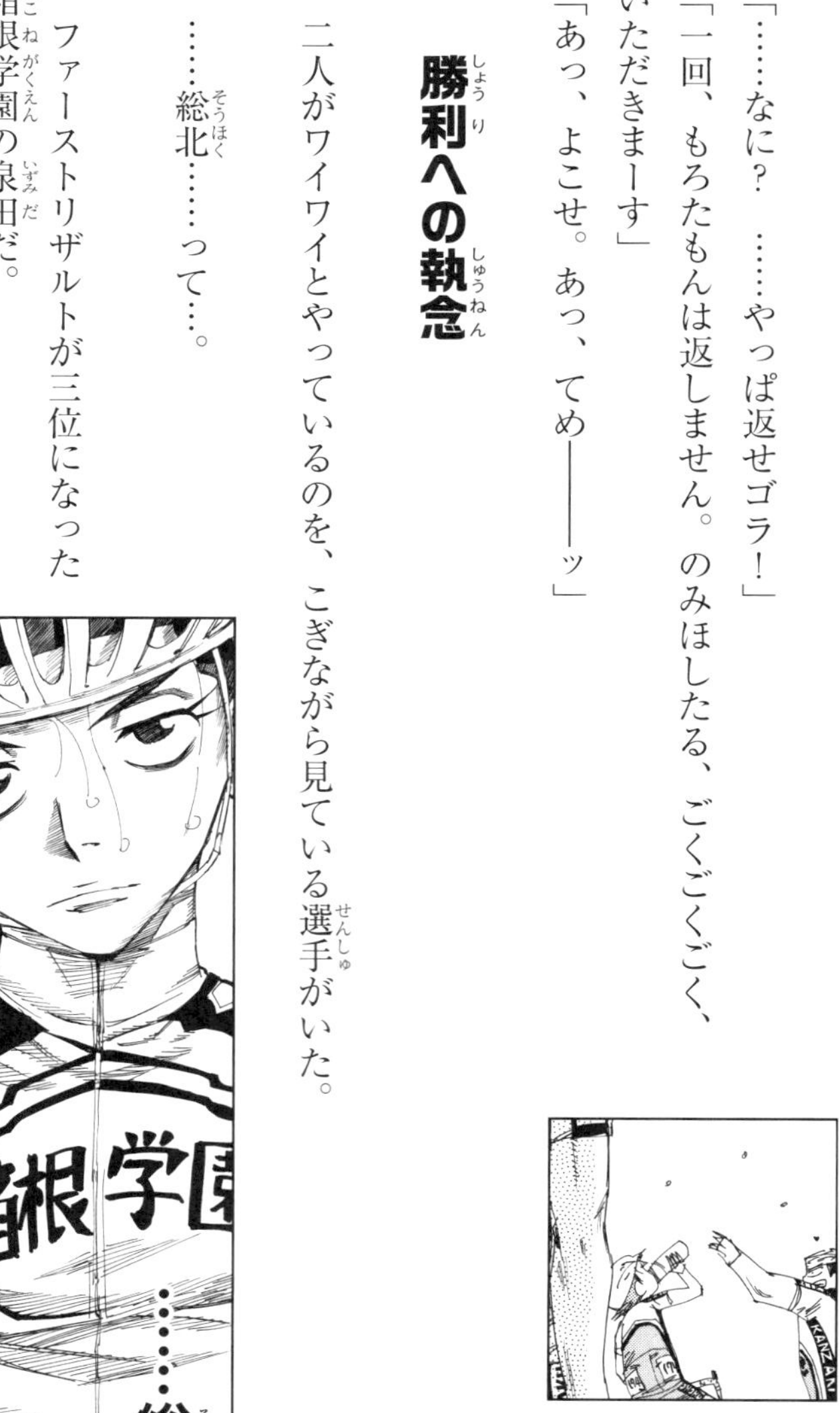

「すいません……、一つ聞いてもいいですか、わからなかったもので」

二人に自転車を近づけると、話しかけてきた。

「なぜ、あのとき、風でたおれてきたコーンを、あなたがたはよけようとしなかったのですか」

田所と鳴子（なるこ）は、急にだまりこんで、泉田を見つめた。

そして、たがいを見つめあった。息（いき）を合わせて言った。

「タイムロスだから」

「タイムロス……!? 落車（らくしゃ）の危険（きけん）があったのにですか？ たまたまコーンをはねあげたからよかったですが、前輪（ぜんりん）がコーンにのりあげていたら……かくじつにころんでいます！」
泉田はまゆをひそめた。

「そん時はそん時だ」

田所と鳴子は声をそろえて返した。

それは泉田には意外な言葉だった。

「たしかに、ころんでけがをしていたかもしれんなあ」

鳴子が人ごとのように言った。

「だったらなぜ」と泉田はなっとくできない。

すると田所が話しはじめた。

「泉田よ、オレはな、ヨーイドンでスタートを切って、ラインのところまでだれが一番で走るかっつうシンプルなルールの中で、〝最速〟で走りたいだけだ」

「それはボクも同じです――」

泉田が言うのをちゃんと聞かずに田所は、話をかぶせた。

「だが、ざんねんなことに最速に法則はねェ。
かくじつに勝てる方法なんてのは、どこにもねえのさ」
かんぺきに勝てる方法を考えぬいた泉田とは、まぎゃくの考え方だった。

田所の話はつづいた。
「だからオレは、どんな状況でも〝勝ち〟をさがす。
どろを食っても、砂をかんでも、全身全霊を使って
勝ちをひろいにいく。
そうしないと勝ちはころがりこんでこねェ。
オレはそれを、たくさんの勝ちや負けの中で学んで
きたつもりだ‼」

「…………………」
泉田は、田所の話に聞き入った。

「泉田よ、おめェはきたえあげたつったな。たしかに速かった。あっとうてきにな。正直、オレは何度も勝てないと思ったくらいだ。
けど、おめェは言ってたろ。〝インターハイにしぼってきた〟と。当然、かたならしで出た関東の大会ではそこそこ。だが、そのせいでおまえには、勝ちと負けがたんねーんだ!!　するどいヤリとやらをみがくのに時間をかけすぎたのさ」

田所、鳴子、泉田の三台がならんで走る。みんなだまったままだ。

やがて、泉田が口を開いて、強めの声でこう言った。
「そこまで言われたら、少し反論させてもらいましょう。ボクのアン……いや、肉体はかんぺきに仕上がっていました。かんぺきな走りだってできてた。ボクはあなたがたをあっとうしていた。今回の負けは、たまたまコーンをあなたがたがよけるせんたくをしなかったからだ。

たまたまです‼」

もうコーンをとばした海からの強風はふいていない。心地よい風がほおをなでている。

田所はニヤリとわらった。

「たまたま――――か。そうじゃねェな。コーンがころがって、目の前にとび出してきたとき。おめェはどう思ったよ？〝あぶないい――――ころぶ〟――――か？」

泉田はハッとした。

田所は、となりを走る鳴子に目をやりながら言った。

「オレはな、いや、この赤頭も同じだろうぜ、

〝イケるかもしれねェ〟――だぜ!!」
そして、鳴子(なるこ)の頭をガシッとつかんだ。
泉田(いずみだ)はそこまでだった。
負けた、と思った。
そして「アブゥ…」と小さくつぶやいた。

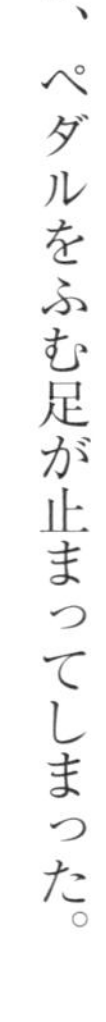

泉田の自転車は惰性(だせい)で前に進んでいたが、ペダルをふむ足が止まってしまった。

田所と鳴子はどんどん先に行ってしまった。

そうか、負けたのはボクがたりなかったせい。
アンディ、フランク、すまなかったよ。
キミたちは最高の仕事をしてくれたのに。

そうつぶやくと、首まであげていたジッパーを下げた。
今はつかの間、ゆっくり休んでくれ。

泉田はそうつぶやくと、目からは
自然となみだがふたすじ、ツゥーーーと流れた。
敗者のなみだだった。

炎天下――――。

時おり、左からふく強い海風――――。

三日間のレースは、今、第一日目の第一計測ポイントをすぎたところだ。

総北高校の黄色いジャージを先頭として、百をこえる台数の自転車集団が国道を西に走っていく。一台、また一台と、スプリンターたちが集団にとりこまれていく。

坂道が巻島にしつもんした。

「とび出していったスプリンターたちがもどってきますね。どうしたんですか」

ヘルメットからあふれる長い髪を潮風になびかせながら、巻島は答えた。

「そろそろ、山だからな。役目を終えたスプリンターは、いったん集団にもどって足を休めるのさ。じきに、オレたちも田所っちたちに追いつくっショ」

「もどってくるんですか、鳴子くん！　田所さんも！」

坂道は目をかがやかせた。

「山に入る前にはな」

巻島はぶっきらぼうに言った。

ファーストリザルトの結果が出たら、スプリンターたちはみな速度を落とすのだ。そうすると、自然とうしろを走っている集団が追いついてくる。エネルギーを一気に使ったスプリンターは、速度がおそくて、風よけもある集団の中で、息をととのえて、しばし体を休めるのだ。

「でも、ヤツらがもどってきても、ゆっくりとみやげ話を聞いている
ヒマはないッショ、小野田」
「えっ」
「言ったろ、山……スプリンターの
出番は終わり、今度は、オレたちク
ライマーの仕事場だっ‼」

むむむ！
坂だ。登り坂がやってくる！
坂道の心臓（しんぞう）がドクンとなった。

インターハイには、全国各地の名クライマーたちが出場している。箱根学園（はこねがくえん）は三年の東（とう）
堂尽八（どうじんぱち）と一年の真波山岳（まなみさんがく）。京都伏見（きょうとふしみ）の御堂筋翔（みどうすじあきら）もクライマーだ。

巻島と坂道には、たおすべき相手がたくさんいるのだ。

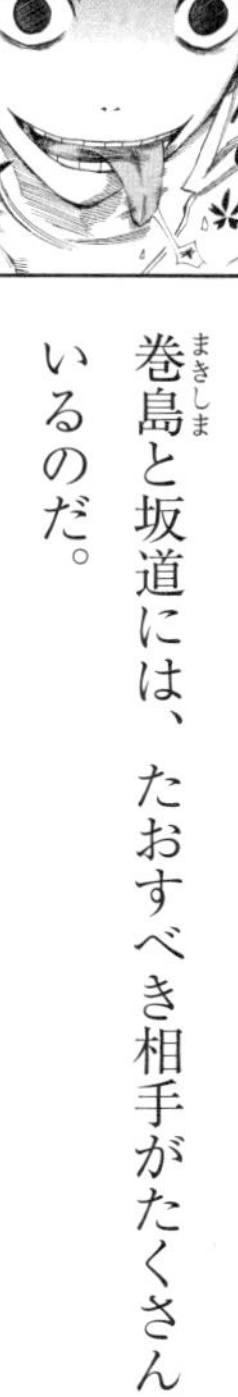

「小野田！」
巻島が前方を指差した。

「ほら、見えたぜ。山だ！」

箱根の山がこつぜんとすがたをあらわした。あの山を自転車で登っていくのだ。
坂道は力がみなぎるのをかんじた。
あの山の向こうに、今日のゴールがある‼

そこを「たたかいながら」登る!!
どれほどたいへんだろうか。
ボクの力じゃ、とちゅうでダメに
なるかもしれない。

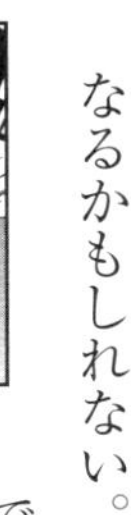

でも、やるんだ!!
なにができるかわからないけれど、ボクの得意分野は「登り」。
「登り」でなにか、みんなの役に立つことをしたい!!
鳴子くんと田所さんが全力で平坦区間をとってくれたんだ。
だったらボクも山で!　この箱根で!!

そんなふうに心にちかったとき、巻島が言った。
「追いついた…ッショオ!!」
前方に田所と鳴子が走っているのが見えた。

「鳴子くん‼」

坂道はさけんだ。

鳴子がその声でふり向いた。

「田所っちいいいいいい‼」

巻島がさけんだ。

田所がふり返った。


そして、黄色のジャージが六台、また一つのかたまりとなった。

「ガハハハ、やったぜ、金城!」

田所がまっさきに主将の金城に言った。

「おう‼」

力強く、金城が答えた。

田所はうれしそうに、今泉に声をかけた。

「おう、今泉、りっぱに集団を引いているじゃないか!」

鳴子は坂道にじまんげに言った。

「ハコガクのマツ毛くんをちょいとひねってやったわ、マジで」

坂道は目をかがやかせた。

「スゴイ!!」

「おつかれさまです。すごいですね……本当に」

今泉が田所に話しかけた。

「ガハハハハハ。今さらだぜ。実力っつうヤツよ!!」

田所がわらった。

「でもな、スカシ、けっこうオッサンはムリしてたで」

鳴子がまぜっかえした。

「るっせー、それはてめーだろ!!」

田所が反発した。


ファーストリザルトを取ったことで、総北高校全員のやる気が上がっていた。

優勝に向かって、がんばっていけそうだ。


巻島は田所のかたをたたきながら「やったっショ!!」とたたえた。

三年生にとっては高校生活で最後のインターハイだ。この三日間の長丁場のレースは、
田所たちのがんばりで上々のスタートが切れた。

「ああ、去年の雪辱※をとりあえず一個ははたしたぜ、ガハハハハハ」

田所はほこらしげにわらった。

※雪辱をはたす…負けた相手をやぶって、めいよをとりもどすこと

坂道は田所のジャージがあせだくでボロボロになっていることに気がついた。

鳴子もへとへとのようだ。

この二人、チームの……ために走ったんだ。

自分もチームのためになにかをしたいと考えて、ハンドルをぎゅっとにぎりしめた。

田所がうしろにたくさんいる他校の選手たちをふり返った。

「しっかしまァ、集団の先頭ってのはいいながめだなあ」

しみじみと言った。

鳴子も「ホンマっスね」と言った。

金城がうしろから二人のかたをポーンとたたいて、ねぎらいの言葉をかけた。

「おまえたちが役割をはたしてくれたおかげだ‼」

役割‼

ボクの役割……ってなんだろう……。

坂道の役割

そんなことが坂道の頭をよぎるうち、「ここから小田原市」のかんばんをすぎた。

今泉を先頭に、インターハイのロードレースの集団は小田原市に入っていく。

そのタイミングで、金城がメンバーに声をかけた。

「もうすぐ平坦区間が終わって、市街地に入る。

市街地に入ったら給水所があるが気をぬくな。そこからはすぐに山だ‼

「では、作戦(オーダー)を発表するぞ」

主将(しゅしょう)の口から出た「作戦」の言葉(ことば)で総北(そうほく)メンバーがピリッとなった。

金城(きんじょう)は話しはじめた。

「鳴子と田所はうしろについて足を休めろ」

「はい！」「おう」

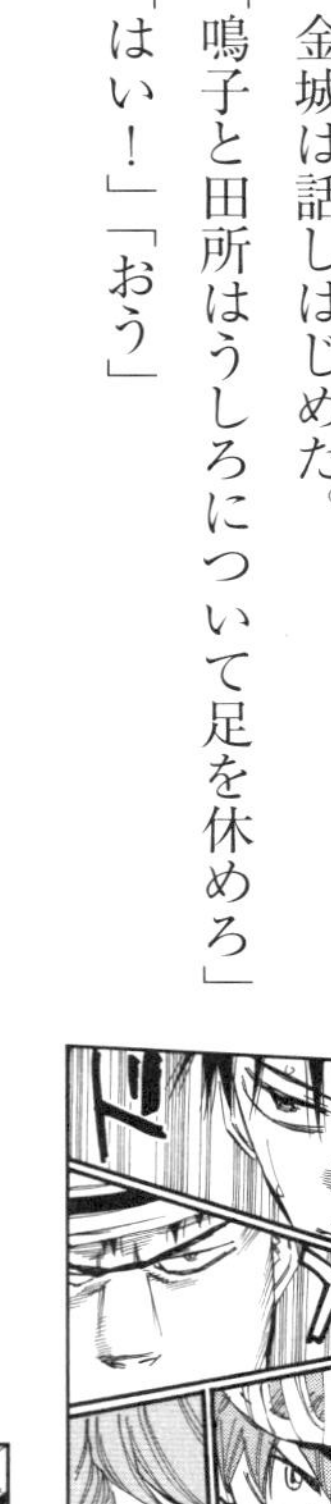

「今泉(いまいずみ)は今までどおり、はなれるな。オレを引け」

「はい」

「巻島(まきしま)は――、山のゴールに向けて各チームのクライマーが仕かけてくるはずだ。そいつらを全員、けちらせ!!」

「あいよォ!!」

「そして小野田」

自分の名前をよばれた坂道は、びくんとなった。

「は……はい」

金城がうしろの坂道を見た。
坂道は、サングラスごしに金城のひとみがぎらりと光ったような気がした。
「小野田は、山に入ったら、前に出ろ。今泉の前でオレたちを引き、先陣を切って、箱根の登りをかけ上がれ!!」

これが、総北高校の作戦だった。

坂道は、かたまった。

前に……出る……先陣……？

「どうした、自信がないか。できないか」

金城は坂道に聞いた。


かけ上がる？

ボクがみんなを…チーム全員をつれて……。


「それがボクの役割ですか？」

坂道は金城に聞いた。

「そうだ。おまえ以外にやる人間はいない!!」

これが答えだった。


「はい…!!」

坂道は返事をした。

「かならずやりとげてみせます!!」

「よし!!」

役割ーーーーーー。

この言葉を、坂道は何度も頭の中でくり返してきた。

これまでの人生で、もしかしたら、はじめてもらった役割……かもしれない。

箱根の山がますます大きく、目の前にせまってきた。

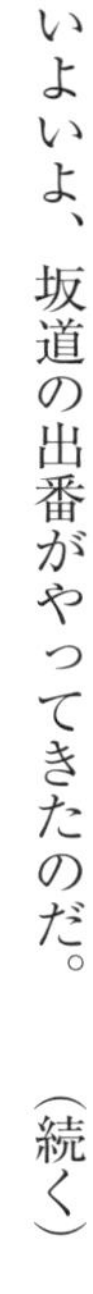

いよいよ、坂道の出番がやってきたのだ。

（続く）

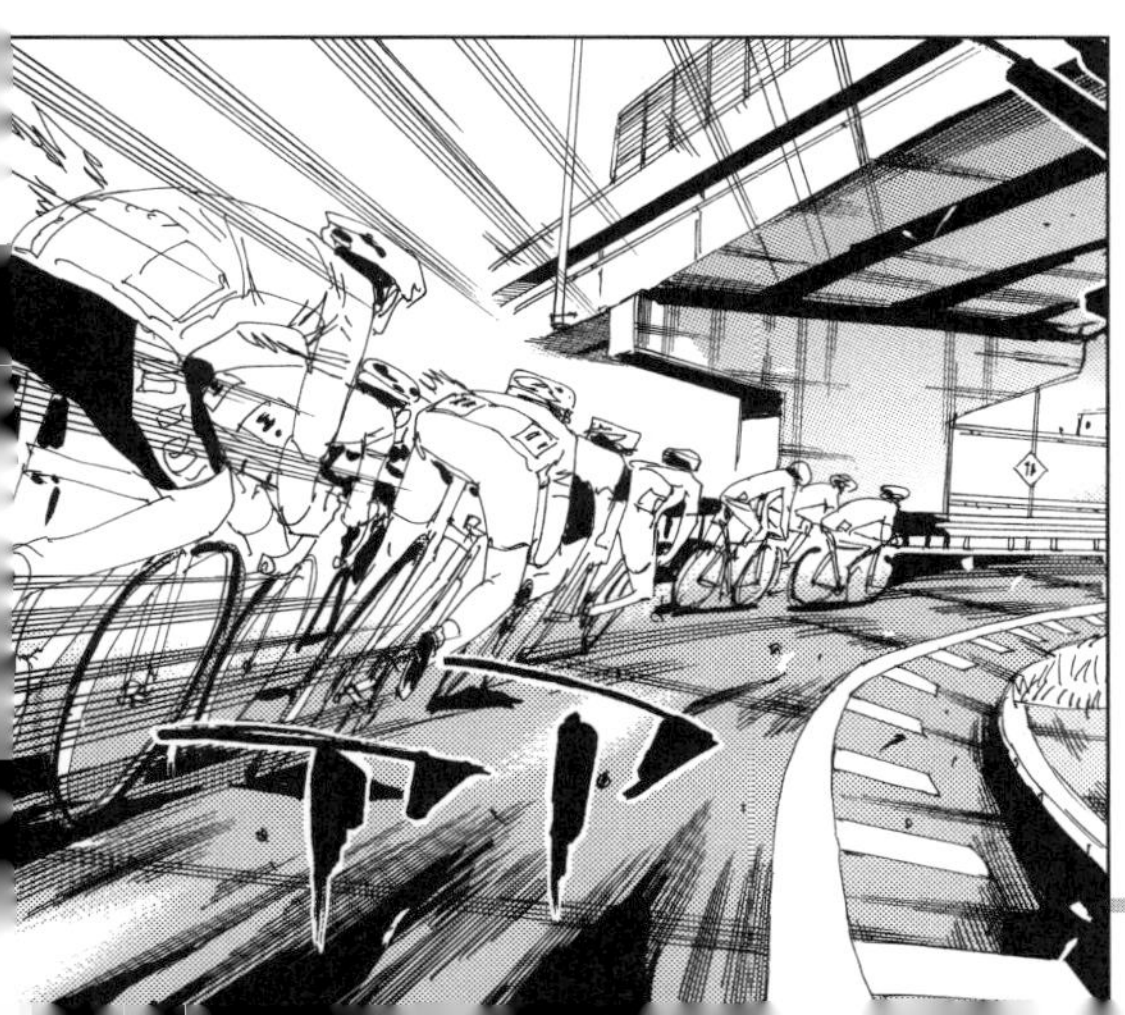

COLUMN

これでキミも自転車通!

005

選手の愛車は「超高級外車」だった!!

ここでは鳴子と今泉、真波が乗っているメーカーの自転車を紹介するよ。それぞれの写真はかれらが乗っているモデルとはちがうけれど、各メーカーのなりたちや特徴がわかるとおもしろいね。

鳴子章吉(総北高校)の愛車 〈スプリンター〉

ピナレロ(イタリア)…………… 自転車界のフェラーリ!?

「自転車界のフェラーリ」ともよばれるピナレロ。1953年にプロレーサーのジョヴァンニ・ピナレロが創業。少しぐにゃりとまがっているフロントフォーク(前輪をささえる部品)や、左右非対称のフレームなどがとくちょうで安定性が高い。この美しい車体にあこがれる選手が多い。だけど値段が高い!

今泉俊輔（総北高校）の愛車　〈オールラウンダー〉

スコット（スイス）……………… 乗っていて、つかれにくい

1958年、エド・スコットがスキーのストックのメーカーを作ったのがはじまり。スキー用品同様、自転車も優秀で、一番のとくちょうは軽さにこだわること。2001年には世界初の重量が1キロを切るフレームを開発。ここのフレームは、振動吸収性が高い。スピードと耐久性をかねそなえる。

真波山岳（箱根学園）の愛車　〈クライマー〉

ルック（フランス）……………………… 革新的な技術の粋

高い技術力で「クセの強い熟練レーサーが乗る本気のバイク」との評判。1951年にスキーのビンディング（板とブーツをとめる装置）メーカーとして創業。1980年代に自転車を始め、足をひねるだけでカチャンと装着できる「ビンディングペダル」を発明。ヒュエズという登りに強い軽量モデルが人気。

[原作者]
渡辺 航（わたなべ　わたる）
漫画家。長崎県出身。MTBやロードバイクなど自転車をこよなく愛し、『弱虫ペダル』の連載を続けながら、多くのアマチュア自転車レースに参戦している。

[ノベライズ]
輔老 心（すけたけ　しん）
フリーランスライター。兵庫県出身。『スーパーパティシエ物語』『いやし犬まるこ』（いずれも岩崎書店）など著書多数。

AD 山田 武　　協力 渡邊まゆみ
編集協力 秋田書店

フォア文庫

小説（しょうせつ） 弱虫（よわむし）ペダル5

2021年2月28日　第1刷発行
2024年4月15日　第2刷発行
原作者　渡辺 航
ノベライズ　輔老 心
発行者　小松崎敬子
発行所　株式会社 岩崎書店
〒112-0005 東京都文京区水道1-9-2
電話　03-3812-9131（営業）　03-3813-5526（編集）
00170-5-96822（振替）
印刷・製本所　三美印刷株式会社

ISBN978-4-265-06575-2　NDC913　173×113

Published by IWASAKI Publishing Co.,Ltd.
Printed in Japan

岩崎書店ホームページ　https://www.iwasakishoten.co.jp
ご意見をお寄せください　info@iwasakishoten.co.jp